Ce livre, publié dans la collection ROMANICHELS
dirigée par Josée Bonneville, a été placé
sous la supervision éditoriale d'André Vanasse.

Le fil ténu de l’âme

DE LA MÊME AUTEURE

Les oiseaux de verre, Montréal, La courte échelle, 2000.
L'aguayo, Montréal, La courte échelle, 2001.
La rivière du loup, Montréal, XYZ éditeur, coll. « Romanichels », 2006. Prix du Gouverneur général 2006.
Le fin fond de l'histoire, Montréal, Éditions XYZ, coll. « Romanichels », 2008, 2012 (édition révisée).

Andrée Laberge

Le fil ténu de l'âme

roman

Catalogage avant publication de Bibliothèque et Archives nationales du Québec et Bibliothèque et Archives Canada

Laberge, Andrée, 1953-

Le fil ténu de l'âme

(Romanichels)

ISBN 978-2-89261-709-2

I. Titre. II. Collection: Romanichels.

PS8573.A167F54 2012 C843'.6 C2012-941784-X
PS9573.A167F54 2012

Les Éditions XYZ bénéficient du soutien financier des institutions suivantes pour leurs activités d'édition:
- Conseil des Arts du Canada;
- Gouvernement du Canada par l'entremise du Fonds du livre du Canada (FLC);
- Société de développement des entreprises culturelles du Québec (SODEC);
- Gouvernement du Québec par l'entremise du programme de crédit d'impôt pour l'édition de livres.

L'auteure remercie le Conseil des arts et des lettres du Québec, qui a soutenu financièrement l'écriture de ce roman.

Conception typographique et montage: Édiscript enr.
Graphisme de la couverture: Zirval Design
Illustration de la couverture: Pan Xunbin, Shutterstock.com
Photographie de l'auteure: Martine Doyon

ISBN version imprimée: 978-2-89261-709-2
ISBN version numérique (PDF): 978-2-89261-710-8
ISBN version numérique (ePub): 978-2-89261-723-8

Dépôt légal: 3e trimestre 2012
Bibliothèque et Archives nationales du Québec
Bibliothèque et Archives Canada

Diffusion/distribution au Canada:
Distribution HMH
1815, avenue De Lorimier
Montréal (Québec) H2K 3W6
www.distributionhmh.com

Diffusion/distribution en Europe:
Librairie du Québec/DNM
30, rue Gay-Lussac
75005 Paris, FRANCE
www.librairieduquebec.fr

Imprimé au Canada

www.editionsxyz.com

Ce livre, je n'avais pas prévu l'écrire. Ce sont des personnages créés lors de l'écriture de deux romans précédents qui l'ont exigé et m'y ont en quelque sorte contrainte, sous prétexte qu'ils avaient encore des choses à dire, des liens à tisser et des nœuds à dénouer pour compléter leurs histoires laissées en suspens. Ce serait mentir de prétendre que je n'ai pas tenté de tourner la page sur eux. Mais ils m'ont pour ainsi dire assiégée. Plus d'autres voix que les leurs capables de se faire entendre, plus d'autres idées que celles qu'ils faisaient surgir dans mon cerveau d'écrivaine. Alors j'ai cédé. Après tout, ils m'avaient si bien servie, pourquoi leur refuser le droit de prendre de nouveau la parole? D'autant plus qu'ils ne me laissaient pas d'autre choix, si je voulais écrire.

Ces personnages avaient en commun la perte d'êtres chers et le désir d'en témoigner pour faire leur deuil. Ils avaient aussi en commun la culpabilité et le besoin de régler leurs comptes, avec les défunts, avec les vivants, pour pacifier leur âme tourmentée et laisser partir en paix leurs morts. Pour les servir à mon tour, il m'a fallu découvrir un nouveau monde, celui de la thanatopraxie, ou de l'embaumement. Heureusement qu'il y a eu Gabrielle et Pierre Maxime pour me parler avec passion et générosité de leur métier et répondre à mes questions de néophyte. Sans eux, je n'aurais pas pris la juste mesure ni rendu justice à cette femme, embaumeuse, qui dorlote ses morts et aide les âmes à couper le fil ténu qui les relie à leur enveloppe charnelle.

Mais je ne savais pas que cette histoire, ils prendraient trois ans à me la raconter. D'un côté à exiger toute mon attention, de l'autre à se révéler à demi-mot, à avancer d'un pas pour en reculer de deux, à hésiter à lever le voile, à tourner en rond et à se dérober. Je ne savais pas non plus que cette histoire me mènerait là où souvent on refuse d'aller, de l'autre côté du miroir.

ANDRÉE LABERGE

L'oratorio *

Mon bien-aimé est rayonnant et vermeil,
Il se distingue entre dix mille.
Sa tête est d'or fin, pur,
Ses boucles, noires comme le corbeau.

Ses yeux sont comme des colombes
Sur le bord d'eaux courantes,
Se baignant dans le lait, demeurant sur la berge
Ses joues sont comme des parterres de baumiers.

Ses lèvres sont des lys,
Elles distillent de la myrrhe liquide.
Son palais n'est que douceur, et lui, tout en délices.
Qu'il me baise des baisers de sa bouche !

Que son fruit est doux à mon palais,
Mon nard a donné son odeur,
Et son étendard au-dessus de moi,
C'est l'Amour !

---

* Extraits du *Cantique des Cantiques* interprété par Karen Young sur son disque *Canticum Canticorum*, URSH, 2000.

1

la vieille est morte ! dit le médecin

les bras ballants à ton chevet, l'air d'un idiot qui n'en croit pas ses yeux braqués sur tes seins flasques qui ne se soulèvent plus pour m'émouvoir

plus de pouls pour battre la démesure à ton poignet osseux, plus de valves qui claquent dans ta poitrine à plat, pas même une pointe d'activité cérébrale à l'écran pour me soulever d'espoir

que de tristes gargouillis et borborygmes retardataires, que des écoulements malodorants et disgracieux

— la vieille est morte !

assène le médecin, comme un coup de poing dans l'estomac qui coupe le souffle et plie son homme en deux, en te débranchant de l'enchevêtrement de fils et de tubes qui te maintiennent en vie peut-être artificielle mais en vie quand même ! m'insurgé-je en lui sautant à la gorge pour lui faire ravaler ses paroles

— mais lâche-le, voyons ! le pauvre n'y est pour rien ! c'est moi qui veux partir !

me susurres-tu à l'oreille interne pour me rappeler que tu y es toujours, logée comme chez toi dans mon cerveau de sans-abri, de sans-génie, sans rien du tout si tu n'y es plus pour me combler l'espace autrement vacant, car les idées n'y passent qu'en courants d'air et les souvenirs, lorsqu'ils s'incrustent, se perdent dans mes dédales, tombent dans des trous noirs ou disparaissent sous une couche épaisse comme ça de poussière grise !

— pourquoi plier bagage si tôt, car rien ne presse, me semble !

dis-je en me ruant sur ta dépouille pour t'empoigner par les épaules et te secouer les puces sous le regard hébété du médecin qui recule, reprend son souffle et ses esprits, et menace de me faire expulser sur-le-champ si je ne modère pas mes transports et mes ardeurs, mais comment me freiner ? notre histoire d'amour démarrait tout juste, partie en grande, sur les chapeaux de roues, la pédale au plancher, pas même le temps de boucler nos ceintures, non plus d'atteindre la vitesse de croisière que déjà tu lâches le volant, t'éjectes sans crier gare, ni préavis, ni paroles apaisantes, pas même d'insultes pour me rabattre le caquet, m'éteindre la flamme ardente, me faire chuter le thermomètre sous la barre, car le fait est que je brûle encore, fiévreux, les sens à vif devant ton corps délabré et tiédasse ! il aurait fallu plus de temps pour calmer nos émois, se perdre de vue, tomber en panne sèche !

pourquoi ne pas s'acharner encore un peu sur ta dépouille ? te prolonger de quelques mois de vie active ? ou invalide ? grabataire alors ? ou seulement végétative ? car j'en souffrirais, me détacherais, souhaiterais un jour que ça finisse ! dis-je au médecin qui me dévisage, interloqué et suspicieux, et refuse tout en bloc, même de te choquer pour te ressusciter, car il n'est pas Dieu pour décider de ta vie ou de ta mort ! se défend l'impuissant qui m'encourage à me déverser en larmes bienfaisantes plutôt qu'en colère infructueuse et me tapote l'épaule avant de s'éloigner pour nous laisser en tête-à-tête, le temps de faire mes adieux et aussi mon deuil, car il le faudra *un jour ou l'autre*, me rappelle-t-il en sortant de la chambre

— alors ce sera l'autre !

je le décide et ravale mes larmes avant que tu conclues, vieille chipie, à une acceptation tacite de ma part et te sentes libre de partir en paix, alors que tu as des comptes à rendre ! je te le rappelle et exige des explications avant que l'idée ne me reprenne de te secouer encore une fois les puces

— j'ai fait mon temps ! soupires-tu

— toi, peut-être, mais moi, tu y penses, égoïste femelle ?

hier encore tu jouais à l'ingénue et te donnais des allures de rose à peine éclose, dissimulée sous la voilette légère de ton chapeau que tu t'amusais à retrousser pour m'aguicher, une vraie nymphette sous tes apparences de vieille décrépite qui se mourait d'envie de baisser ta garde et de déployer ta corolle entre les mains rugueuses de mon jardinier attentionné mais audacieux, fallait me voir à genoux dans les ronces à te chouchouter, te dorloter, à travailler d'arrache-pied pour t'approcher et te cueillir, tant pis pour les chardons, tant pis pour tes épines, si je respirais un jour ta fleur sauvage ! mais tu prenais plaisir à m'attiser et à te laisser désirer, le matin à suggérer, le midi à provoquer, le soir à promettre et la nuit venue à te défiler, un pas devant, un autre derrière, et roucoulades doucereuses par-ci et hauts cris de vierge offensée par-là, et je te frôle et je t'enjôle et je t'appâte et je te prends dans mes jupons et te promets juré craché une finale grands déploiements, feux d'artifice hauts en couleur, étoiles filantes à grande vitesse, chœur angélique, concerto de clochettes, montée en flèche directe au septième ciel, et rendu là, du jamais vu mon vieux! brillance nébuleuse, supernova, puissance nucléaire et décharge explosive, en veux-tu en v'là! me susurrais-tu pour me gonfler de désir comme un homme et me soumettre à tes quatre volontés de femme qui testait ton emprise et ordonnait du haut de ta chair supérieure, *fais ceci! fais cela!* au pauvre hurluberlu qui haletait et salivait, qui sautillait et pirouettait, qui se dressait, faisait le beau, le pitre aussi, qui se couchait et gigotait et se roulait à tes pieds d'aguicheuse qui en exigeait davantage pour jouir encore longtemps de ton pouvoir sur mon animal qui gémissait et en bavait, avant de descendre de ton piédestal pour me combler enfin de tes bonnes grâces qui se faisaient attendre au-delà des limites acceptables

et voilà qu'après m'avoir asticoté et tourmenté jusqu'à me soulever des envies charnelles que je n'avais plus depuis belle lurette sans m'en porter plus mal non plus m'en plaindre, la pile à plat depuis des lustres, pas même souvenance d'avoir un jour été chargé

voilà qu'après m'avoir sorti du néant intemporel où je flottais pourtant à l'aise, pas de souvenirs anciens à ressasser, ni de rêves en couleurs pour tomber du haut des nues, que le confort douillet de la grisaille et l'assurance tranquille du vide intérieur que rien, non rien du tout ne troublerait, m'étais-je un jour juré

voilà qu'après m'avoir sorti des limbes, fait miroiter le paradis sur terre, une Ève et son Adam, le jour en tête-à-tête à se conter fleurette, la nuit côte à côte à se chanter la pomme, l'éternité à se humer les fleurs odorantes, à se vautrer dans l'herbe tendre, à se croquer le fruit défendu et à se cultiver le jardin d'Éden, susurrais-tu pour jeter de l'huile sur mon feu alors que je flambais déjà, prêt à me consumer et à me réduire en cendres voilà qu'alors que nous y étions presque, à un cheveu de la défaillance, à un poil gris frisé du but...

tu expires! déposes les armes! rends l'âme! me laisses en plan avec un désir inassouvi, les nerfs à vif et tout le reste aussi, tendu à fleur de peau! tant pis si je brûle pour rien la mèche par les deux bouts, si je carbure à vide! tant pis si je souffre l'enfer d'avoir entrevu ton fruit défendu sans y avoir goûté! tant pis si ton départ me creuse un gouffre et si j'y tombe dans la noirceur opaque, sans même en voir le fond! tant pis! tant pis! tant pis! t'en fous-tu comme une harpie irresponsable qui se désiste après m'avoir apprivoisé, dompté, coupé les griffes, appris à faire le beau plutôt que l'animal sauvage

— mais pourquoi donc en faire un plat?

demandes-tu, hypocrite, en feignant d'oublier qu'hier encore tu te flattais de m'avoir au bout de ta laisse! mais voilà que madame refuse de la tenir plus longtemps et propose, comme si ça allait de soi, qu'elle était interchangeable et moi, simple animal de compagnie, de passer les cordeaux à une autre! arguant qu'il y en a plusieurs, appétissantes et volages, qui papillonnent en quête d'une flamme où se brûler une dernière fois les ailes flétries, suffit d'ouvrir l'œil et mes bras velus pour qu'elles s'y jettent et y meurent par dizaines! fais-tu miroiter, vieille ratoureuse, pour m'allécher en omettant que c'est toi et toi seule que je veux!

— bah! tu en trouveras bien une, pour t'envoyer en l'air!

tentes-tu de minimiser, démone, comme si c'était de cela qu'il était question! et même si ça l'était! tu négliges qu'avec toi j'ai plané sur un nuage, quasi atteint la voûte céleste! comment après me satisfaire de vols en rase-mottes? de la cueillette facile sans conséquence de fleurs fanées communes sur le trottoir? d'atterrissages à la sauvette et sans surprise dans un fond de cour, à peine une brève secousse et hop! retour abrupt sur terre

— tu l'as déjà fait avant!

me rappelles-tu, alors refoule, ravale, sors la tête haute et désinvolte en sifflotant un air connu, et ingurgite au plus sacrant un litre ou deux d'alcool bon marché, et tombe comme d'habitude dans le coma, et cuve des jours heureux recroquevillé en boule dans ton conteneur étroit mais familier, et n'en ressors Dieu seul sait quand, mais sans souvenirs de la veille, ni des jours d'avant, plus de désirs ni d'états d'âme pour m'émouvoir la fibre sensible, et reprends là où tu l'as laissée ta vie d'antan de sans-abri sans soucis sans attaches sans rien du tout, que le vide confortable de tes limbes antérieures! ordonnes-tu pour me hérisser le poil, car pourquoi avoir entrelacé nos fils? entremêlé nos histoires? tissé une toile serrée de menus détails intimes où il faisait bon rêvasser côte à côte? si c'est pour décider après de couper court dans notre trame, de taillader dans ma chair vive, de me laisser défait, effiloché, même plus de fibre pour vibrer, non plus de cœur pour palpiter

— tu vas le dire, vieille chipie? pourquoi?

je beugle en t'empoignant par les épaules osseuses et en secouant ton corps chétif de marionnette qui ballotte comme une chiffe molle entre mes mains d'hurluberlu qui ne se souviennent pas en avoir brassé avec autant de haine, non plus d'amour, sans parvenir à te tirer les vers du nez, plutôt tu restes muette et t'entêtes à faire la morte

— si c'est comme ça, je pars aussi!

je décide à mon tour sans demander ton avis, grimpe sur le lit et m'étends à tes côtés sur le matelas étroit mais assez large pour deux une fois collés soudés tels des inséparables, pour te presser serré contre ma poitrine d'homme et te susurrer les mots brûlants d'amour de source biblique qui, hier encore, te faisaient frémir d'émois mal contenus, l'espoir naïf de t'attendrir la couenne dure, de te redonner le goût de rester ici-bas pour en jouir ne fût-ce que quelques heures supplémentaires avec moi

— « que tu es belle, et que tu es gracieuse, amour, fille délicieuse ! ta stature que voici est comparable à un palmier ; et tes seins à des grappes ! je dis : « il faut que je monte au palmier, que je saisisse ses régimes » ; que tes seins soient donc comme les grappes d'un cep, et la senteur de ta narine comme des pommes, et ton palais comme un vin de marque… »

je laisse exprès en suspens et retiens mon souffle en espérant ta réplique qui se fait attendre une, deux, trois secondes éternelles…

— « … allant tout droit à mon chéri, coulant aux lèvres des dormeurs ! »

complètes-tu, belle complice, car tu connais comme moi la chanson et t'en émeus comme au premier jour, en soupire d'aise d'être de nouveau étreinte et célébrée, sans pour autant ouvrir les yeux ni modifier ta décision irrévocable, alors tant pis, je ferme les miens et expire à mon tour

le brancardier venu chercher ta dépouille et non la mienne n'en croit pas ses yeux exorbités de nous découvrir ainsi, enlacés tels un Tristan et son Iseult, et me presse d'abréger mes adieux qui s'éternisent, prétextant qu'il urge de descendre ton cadavre à la morgue pour l'y entreposer au frais

— qu'à cela ne tienne… euh… procédez, jeune homme !

dis-je, en retenant ma respiration pour précipiter ma fin, mais lui ne l'entend pas de cette façon et me suggère plus carrément d'aller m'atermoyer ailleurs, dehors de préférence, rappelant que je ne suis ni le mari, ni le conjoint de fait, ni proche parent, ni même intime de la famille pour m'accrocher de la sorte, plutôt un pauvre clochard que tu as confondu, vieille délirante, avec une ancienne flamme que j'ai peut-être ravivée exprès et entretenue dans l'espoir d'en tirer des avantages matériels, charnels ou peut-être les deux comme un gigolo qui aime se faire entretenir, insinue-t-il, pour me soulever l'envie de lui faire ravaler ses mensonges d'un direct solide au plexus, mais il faudrait pour cela que je desserre mon étau autour de ton corps et l'homme en profiterait pour s'immiscer entre nous, alors je passe mon tour, l'ignore et fais le mort

un agent de sécurité, dépêché sur l'étage pour prêter main-forte au brancardier impuissant, observe à son tour la scène inusitée en se grattant, frénétique, le dessus de la tête, l'air de soupeser ma corpulence, de jauger ma force de résistance et d'estimer ma menace potentielle qu'il juge à l'œil assez importante pour ne pas souhaiter s'exposer à ma décharge explosive, plutôt, le fin stratège propose de procéder comme si je n'y étais pas, présumant que je décollerai de moi-même une fois rendu devant la porte de la morgue, nul besoin de poivre de Cayenne non plus de gros sel pour se débarrasser des sangsues de mon genre itinérant qui vivent aux crochets d'autrui mais ont une vraie phobie des endroits clos, à force d'errer sans porte ni cloison ni même frontière pour se restreindre, explique-t-il de long en large au brancardier qui acquiesce mais en doute

à raison ! car nous y sommes, en plein devant la porte de la morgue qui bée, une vraie grande gueule ouverte prête à se refermer et à m'avaler tout rond, j'en ai des sueurs froides, tremblote et vire livide cadavérique, n'empêche que j'y demeure, accroché à ton corps mort, pour étonner l'agent qui a sous-estimé ta force d'attraction féminine, tout comme mon refus de sortir de ton orbite, car nous sommes comme Terre et Lune, et nos trajectoires sont indissociables, n'ont pas compris les deux compères qui me tirent, l'un par le bras, l'autre par la jambe, sans parvenir à nous dessouder, même les pinces de désincarcération n'y pourront rien, et tant pis si je risque de réduire ta frêle carcasse de vieillarde en bouillie, dis-je pour les provoquer

— tu l'auras voulu ! décrète l'agent en poussant la civière à l'intérieur

— il va crever de froid !

objecte le brancardier soucieux pour rien de mon bien-être, car j'en mourrai de toute façon, congelé aujourd'hui dans le frigo ou demain sur mon coin de rue, quelle différence ? mais il préfère ne pas en être tenu responsable et me plante d'un coup sec son aiguille dans une fesse pour m'injecter sans consentement une faible dose de barbiturique qui me fait perdre la carte mais seulement quelques minutes, car j'ai l'habitude des drogues en tous genres et il m'en faut davantage pour m'assommer, ignore le jeunot qui s'étonne de me voir sortir trop tôt des limbes et me précipiter sur la porte de la morgue, les esprits embrouillés et l'équilibre précaire mais fou furieux de m'y cogner le nez, car elle est fermée pour de bon et verrouillée à double tour, m'informe-t-il pour me hérisser et me donner l'idée de me servir de ma tête pour l'enfoncer sans parvenir à l'ébranler, seulement à me sonner et à me fêler, le risque élevé de traumatisme crânien si je m'acharne de la sorte, s'inquiète-t-il, contrairement à l'agent qui en a vu d'autres et parie que je lâcherai prise dès qu'ils auront tourné le dos et qu'ils n'y seront plus pour assister à mon numéro d'homme éploré

— s'il en crève avant ? se tourmente encore le brancardier en me voyant m'y précipiter une fois de plus, pauvre bélier sans cornes, pour me défoncer le crâne

— pas notre problème ! rétorque l'agent pressé d'aller en griller une dehors

2

Le cactus

La femme que je suis est assise seule dans son coin. Juchée sur un tabouret trop haut, elle fixe le fond de son verre et balance ses jambes solides mais fatiguées de l'avoir trop longtemps soutenue, immobile durant des heures sur le plancher dur de céramique. Si elle fixe le fond de son verre et balance ainsi ses jambes, c'est pour montrer qu'elle n'est ici que pour siroter une pinte de rousse pression, que pour grignoter des bretzels et des chips au vinaigre, que pour s'assourdir, s'étourdir et s'éclater les tympans. Que pour se fondre dans la masse compacte et informe qui se reflète comme une seule ombre dans le miroir derrière le bar.

Les habitués de la place l'ont compris et lui foutent généralement la paix. Ceux qui ont tenté de l'approcher l'ont regretté et lui ont fait une réputation peu enviable de *qui s'y frotte s'y pique* qui lui convient parfaitement. Comme ça, plus besoin de se justifier et de faire ses preuves à tout bout de champ, tantôt à se hérisser, à se secouer et à piquer pour garder à distance les indésirables, tantôt à ériger des barricades, à renforcer ses frontières et à menacer les envahissants, tantôt à exploser et à charger pour repousser les conquérants déterminés à abattre ses défenses et à la dominer, de gré ou de force. Dorénavant, ici, comme chez elle, elle peut vivre en toute quiétude sa vie de cactus.

À l'occasion, il y en a un, nouveau dans le secteur, qui franchit la porte et se met en tête de vérifier par lui-même si sa réputation de forteresse inexpugnable est fondée, convaincu que devant lui elle va craquer. Elles le font toutes, se vantera le prétentieux qui se croira irrésistible et tiendra mordicus à le prouver aux yeux de tous. Il s'en pétera à l'avance les bretelles, sans prêter attention aux mises en garde de ceux qui ont frappé leur Waterloo avec elle. Tous des jaloux, tous des perdants, insinuera le suffisant avant de prendre d'assaut sa tour d'ivoire pour la contraindre, une autre fois, à grogner, à montrer les crocs, même à les planter dans la chair tendre de l'orgueil du jeune mâle qui en prendra un coup. Mais il l'aura cherché, se moqueront à leur tour ceux qui ont échoué avec elle et mal cicatrisé de sa morsure.

Comme celui-là, qui l'observe de loin et lui tourne autour depuis quelque temps. Ce soir, il paraît décidé à passer outre les rumeurs et à tenter une offensive, en espérant déjouer ses défenses. Elle le voit venir de loin, avec sa façon de balancer les épaules, faussement nonchalant, de se déplacer, le pas lent, léger et sinueux du fauve. L'homme feint de s'intéresser à d'autres, serre une main par-ci, fait la bise ou l'accolade par-là, pose une patte de velours dans le dos dénudé d'une ancienne flamme, se penche, lui susurre un mot amusant à l'oreille pour la faire rire et ronronner, soulève exprès des espoirs vite déçus. Car il s'en détourne, abandonne en plein émoi la proie facile et consentante pour s'intéresser à *elle*, juchée sur son tabouret. Pourtant, elle ne fait rien pour ressortir du lot, contrairement à l'autre féline qui se tortille pour l'aguicher, le retenir. Mais ce soir-là, le fauve qu'il est a besoin d'un défi, et elle en représente un à sa hauteur, présume-t-elle en surveillant la progression de la bête dans le miroir.

Leurs regards se croisent, une fraction de seconde anodine. Le temps pour elle d'y surprendre une lueur avide, le temps pour lui de remarquer son trouble. Car il lui arrive encore d'être remuée, sensible comme une idiote au désir de l'autre. Elle s'empresse de ramener sa lourde crinière noire devant son visage, plonge au fond de son verre et balance plus fort ses jambes solides, en espérant qu'il décodera le message et retraitera de lui-même.

Lorsqu'elle risque un coup d'œil furtif dans le miroir, elle constate que l'homme est planté dans son dos, le regard rivé sur sa nuque. Elle s'affiche exprès bourrue, secoue la tête, l'air de vouloir chasser un bourdon achalant. Mais le fauve, les sens en alerte, a perçu le léger frémissement des poils sur sa nuque et ne s'y trompe pas. Il s'approche plus près, jusqu'à être à un cheveu de la toucher. Elle sent son souffle dans son cou et aussi la chaleur de son long corps de mâle. Au premier geste, au premier mot, elle le rabroue comme un indésirable. Mais il reste là, à l'affût, immobile et silencieux, sur ses gardes lui aussi. S'il espère une invitation, il va l'attendre longtemps, se dit-elle en calant sa bière.

Elle n'a pas sitôt vidé son verre que le barman en dépose un autre, plein, devant elle. Une gracieuseté du chasseur qui en prend prétexte pour se jucher sur le tabouret libre à sa droite. Elle sort ses griffes, prête à le lacérer au premier mot de travers ou geste déplacé. Mais l'individu se contente de siroter sa bière, enfermé tout comme elle dans une bulle de silence qu'ils partagent, tout à coup, qui les isole de la masse bruyante. Une preuve qu'il a du flair et de l'expérience avec les bêtes sauvages de son genre, convient-elle. Mais peut-être aussi ne veut-il rien d'elle, seulement boire un coup tranquille assis à côté de quelqu'un qui ne demande qu'à en faire autant, songe-t-elle en baissant sa garde. Il choisit ce moment pour passer à l'attaque.

— Paraît que t'es thanatologue…

— Hostie ! maugrée-t-elle en se détournant.

Toute une entrée en matière ! On ne peut pas dire qu'il prend des détours, celui-là, ni lui reprocher de ne pas afficher ses couleurs ! Au moins, c'est clair : ce qui l'intéresse, c'est ce qu'elle fait et non qui elle est. Contrairement à d'autres, qui prétendent le contraire, mais l'asticotent et la harcèlent à la première occasion pour satisfaire leur curiosité morbide.

Ce qui est clair aussi, c'est qu'il n'y est pas par hasard, assis à ses côtés, et qu'il sait de quoi il parle. Car il y en a peu qui utilisent ce terme pour parler de son métier. La plupart disent embaumeuse, un moindre mal, ou croque-mort, pour la hérisser. La seule idée de devoir croquer dans le gros orteil d'un présumé cadavre pour en confirmer le décès la fait frémir. Un pouce, passe encore ! Mais ces extrémités dodues qui pointent, ridicules au bout des pieds, la révulsent. Peut-être en a-t-elle trop vu, dressées, sales, les ongles racornis, qui surgissaient sous les couvertures, les nuits où elle devait dormir par terre plutôt que dans les bras de sa camée de mère qui les refermait de plus en plus souvent sur un homme ou l'autre, croisé dans la rue ou dans un bar, s'il fournissait la dope. Sa crisse de dope !

Ce qui est moins clair, par contre, c'est pourquoi il s'intéresse au fait qu'elle soit thanatologue. Qu'est-ce que ça change, qu'elle le soit, plutôt que comptable, secrétaire, ingénieure ou femme au foyer, lorsque le but ultime est de dénicher quelqu'un à baiser avant la fin de la soirée ?

D'évacuer son trop-plein de stress, d'hormones et de rage confondus ? De jouir, avec elle ou une autre, avant de retourner dans le douillet nid familial ? Pourquoi chercher une thanatologue, précisément, et fixer ses mains, comme il le fait ? Probablement à l'imaginer en train de manipuler des corps en décomposition, mais sans en paraître dégoûté, révulsé, comme la plupart qui s'en détournent à la première occasion. Qu'est-ce qu'il veut savoir, celui-là ? Si elle embaume à domicile ? Qu'espère-t-il, au juste ? Avoir trouvé l'âme sœur, la perle rare capable de le comprendre, de partager son vice, de satisfaire ses fantasmes les plus sordides ?

— En… en… en qqquoi ça… çaaaa t'in… t'in… téresse ? demande-t-elle en accentuant exprès son bégaiement pour le rebuter ou le faire rire à ses dépens, de toute façon le résultat est généralement le même : l'homme lui fout la paix.

— Ben, en fait, je suis cinéaste et je veux faire…

— Un… un fffilm porno, j'iiii… mama… gine ? l'interrompt-elle, pour lui faire savoir qu'elle n'est pas née de la dernière pluie et qu'elle le voit venir de loin.

— Maudit que t'es à pic ! On m'avait prévenu, mais à ce point-là, c'est rare !

— T'es pppas o… obligé de… de… rrres… ter ! Personne t'a… t'a invité, me… me semble !

— Non, mais j'aimerais ça. Pis je ne suis pas un pervers ! T'as dû en rencontrer plusieurs, de ce genre-là, j'imagine.

— Qu… qu'est-ce que… que tu vvveux au… au jjjjuste ?

— Tourner un documentaire sur la thanatopraxie.

Elle éclate de rire. C'est la première fois qu'elle l'entend, celle-là ! S'il n'est pas pervers, pourquoi s'y intéresser ? Mais peut-être fait-il dans l'horreur? se moque-t-elle. Plutôt que de relever le sarcasme et de s'en offusquer, l'homme met cartes sur table et explique le plus sérieusement du monde ses motivations.

— Je pourrais te dire que le sujet me fascine depuis toujours mais tu ne me croirais pas. En fait, je suis cinéaste amateur, en chômage, ça va de soi, avec des idées de film en masse qui me tournent dans la tête mais aucun financement pour les réaliser. Paraît qu'il faut que je fasse mes preuves avant d'être admissible à des subventions, que je me fasse remarquer, que je me distingue, qu'on retienne mon nom. Pis ça, c'est pas facile. La compétition est forte, dans le milieu. Ça me prend un sujet qui dérange, qui provoque, qui choque même. Mais quoi? Tout a déjà été dit, montré, ou presque. Il n'y a plus de sujets tabous, sauf la mort, peut-être. Celle qu'on ne montre pas, la vraie, celle qu'on ne veut pas voir. Je veux filmer un embaumement en direct, de A à Z, sans flafla, ni mise en scène, ni décor, ni censure. Que le compte rendu fidèle, précis, quasi chirurgical des opérations de désinfection, de vidange, de réhydratation, de restauration et de maquillage des corps. Voilà.

— C'est tttout? Ça vvva être ppplate en... en... mmmau... dit! dit-elle, sérieusement cette fois, car elle n'en voit pas l'intérêt.

— Je veux m'inscrire à contre-courant, démystifier la mort, la montrer telle qu'elle est, horrible, laide et banale. Je veux aussi démythifier le corps quasi déifié de nos jours, quasi objet de culte. Sa propre mort, personne ne veut la regarder en face, parce qu'elle est incompatible avec notre quête narcissique de perfection, d'immortalité...

Démystifier la mort, démythifier le corps! se répète-t-elle, pendant qu'il rabâche ses théories ridicules pour tenter de justifier après coup son projet de film dont le seul et unique but est de mousser sa carrière. Comme si c'était possible de chosifier davantage le corps et la mort! Comme si nous ne manquions pas, au contraire, de mystère, de mythes pour redonner du sens à ce qui n'en a plus! Il faudrait qu'elle lui suggère d'aller voir cette exposition controversée sur le corps humain! Des cadavres écorchés, dépouillés de leur chair, figés dans différentes positions. Tantôt exposés en entier, tantôt découpés en deux moitiés symétriques, en quartier, en tranches grossières, et même en fines lamelles! Le corps éviscéré, démembré, dépecé, réduit à sa plus simple expression! Qu'un amas de cellules qui naissent, qui se reproduisent et qui meurent. Le cycle de la vie dépouillé de son sens. Une exposition triste à pleurer, quand on a souffert, comme elle, de l'absence de sacré.

— Ç'est passs… sionnant, ton… ton nnn'histoire! le coupe-t-elle, ironique et désagréable exprès.

— Je veux aussi parler de toi, je veux dire de ton personnage de thanatologue. Que tu racontes qui tu es, que tu expliques pourquoi tu fais ce métier-là…

— Ça mmme di… di… sait rrien d'être ci… ci… néaste!

— Très drôle! Mais on ne choisit pas d'être thanatologue comme on choisit d'être secrétaire ou infirmière, il me semble!

— T'as pppas re… remarqué qu'elle… qu'elle bé… bé… bégaye?

— Qui ça, *elle*?

Elle ignore sa question, hausse seulement les épaules.

— C'est quand même pas parce que t'es bègue que t'as décidé de t'enfermer dans un laboratoire avec des cadavres à cœur de journée! T'aurais pu devenir vétérinaire, couturière, conductrice de camions, microbiologiste même! Je comprends que tu ne veuilles pas être en contact avec le public, mais à part réceptionniste ou thanatologue, il me semble qu'il y a d'autres choix possibles, non ?

— Je vais te le dire, moi, pourquoi elle a choisi d'être embaumeuse. C'est pour pas entendre à cœur de journée des conneries de ce genre-là, maudit épais ! Elle s'en fout d'être bègue, comme elle s'en fout du public. Mais penses-y deux minutes : une bègue qui prend la parole, tu penses pas que ça peut ralentir le rythme de ton film ? T'as déjà vu des bègues tenir le rôle principal sans faire rire ? C'est une comédie ou un documentaire, ton film ? semble répondre à sa place le barman qui se prête volontiers à son numéro de ventriloque lorsqu'elle urge de répliquer sans bégayer pour se débarrasser d'un importun.

— Oh *boy* ! Je viens de me mettre les pieds dans les plats ! Mais aussi de découvrir que tu bégayes pas quand tu parles par personne interposée ! Je te suggère de choisir une femme la prochaine fois, question de crédibilité. D'ailleurs, dans notre film, tu pourrais…

— Notre ??? Tu… tu rêves en… en… cccou… leurs !

— T'es pas tannée de toujours te faire poser les mêmes questions ? D'entendre les mêmes farces plates ? De devoir justifier ton choix à tout bout de champ ? T'aurais pas envie de clarifier les choses une fois pour toutes, de confondre les sceptiques, de faire tomber les préjugés ?

— Si… si jjjamais elle ac… ceptait… *si* ! (rappelle-t-elle, car il la tient déjà pour acquise et s'excite comme si le contrat était signé !). Le cccorps on… on llle pren… drait où ? Tu… tu yyy as pen… sé, à… à ça ?

— Il paraît que t'en reçois à l'occasion, non réclamés, qui n'ont plus de familles ou qui sont sans le sou, et que tu t'en occupes gratuitement. Il me semble que ça ne poserait pas de problèmes d'éthique, pis que ça minimiserait les risques éventuels de poursuite. Qu'est-ce que t'en penses ?

— Pis si jamais quelqu'un s'inquiète de la provenance du cadavre, on aura juste à répondre que c'est celui d'une Chinoise refilé par Gunther von Hagens qui la trouvait trop vieille et trop moche pour être plastinée! rétorque-t-elle en mettant ses mots dans la bouche de la féline de tantôt revenue le frôler et lui souffler sur la nuque pour lui rappeler qu'avec elle il n'aurait pas à se donner tant de mal.

— Sérieusement, t'en penses quoi? demande-t-il, sans la quitter des yeux pour décevoir la féline qui va ronronner ailleurs.

Sérieusement? Ce qu'elle en pense? C'est que les corps non réclamés méritent plus que tout autre d'être traités aux petits oignons, caressés, massés, frictionnés comme ils ne l'ont probablement jamais été durant leur chienne de vie. Même leur dernier souffle, ils l'ont rendu seul, sans personne pour leur tenir la main, pour les regarder crever, pour leur donner un faible espoir de rester au moins gravés comme un souvenir dans le recoin d'une mémoire vive. Ce qu'elle en pense aussi, c'est que ces gens-là, abandonnés de tous, ont besoin d'être regardés et touchés avec amour, avec respect, pour retrouver leur dignité humaine et partir en paix, et non d'être scrutés par l'œil indiscret, froid et indifférent d'une caméra fixée sur leur dépouille. Un plan pour perturber l'étape cruciale de la coupure du fil ténu de l'âme qui a mérité de s'élever en paix au-dessus de tout cela. Mais comment expliquer cela à quelqu'un qui parle de démystifier la mort? Comment expliquer cela à quelqu'un qui veut s'en servir pour lancer sa carrière?

— Et… et… lll'âme, elle?

— L'âme???

Il ne l'attendait pas, celle-là! Il a peut-être oublié qu'il en a une. Peut-être ne l'a-t-il jamais su, ou qu'il n'y croit pas. Elle non plus n'y croyait pas, avant, ne lui dit-elle pas. Avant quoi? demanderait-il inévitablement. Avant qu'elle ouvre la porte de la garde-robe et y découvre, recroquevillée au fond, sa camée de mère, morte gelée d'une *overdose*. Avant qu'elle enserre le corps encore tiède, qu'elle le caresse, qu'elle le berce, comme il ne l'avait jamais été durant sa chienne de vie. Avant qu'elle lui fredonne dix fois plutôt qu'une sa chanson préférée, un vieux succès d'Elton John qu'elle connaissait par cœur tant elle l'avait entendu. Avant qu'elle sente le corps crispé se détendre pour la première fois sous la chaleur de la paume de sa main. Avant qu'elle effleure, du bout du doigt, cette corde fragile et tendue comme celle d'un violon qui retenait l'âme de sa mère, qui l'attachait encore à son corps mort. Avant qu'elle n'en joue, la fasse vibrer et entende sa note sublime. Avant de sentir sur toute sa surface épidermique l'imperceptible frôlement de l'âme qui se détache et s'envole, légère. Avant d'en ressentir le vide et le manque. Avant de décider de devenir thanatologue. Pour réconforter les âmes, pour en jouer et en faire jaillir la musique, pour les aider à s'élever en paix. Pour en sentir encore l'imperceptible frôlement et la chaleur aussi. Un choix qui n'a rien à voir avec le fait d'être bègue. Car de sa façon de parler, comme de son apparence, comme de tout ce qui appartient à son corps, elle s'en fout! Mais ça, jamais elle ne le révélera, ni au cinéaste ni à personne d'autre.

Elle se lève, prend son manteau, paie ses consommations, sort. Le cinéaste en reste bouche bée, tant il est sonné, et ne tente rien pour la retenir. La preuve qu'elle lui a cloué le bec, cette fois.

Dehors, elle laisse exprès les pans de son manteau ouverts, pour sentir la caresse du vent sur sa surface épineuse de cactus. Elle s'en hérisse de contentement.

3

Le fils du loup

Je ne savais pas que la vie pouvait s'arrêter, se figer sur un instant précis, et que tout le reste, tout ce qui s'ensuivait, n'était que du temps mort, du temps passé sans marquer de changement, du temps qui tourne en rond, qui ne tourne même plus du tout, du temps qui piétine, qui s'accumule pour rien, qui pèse d'un poids lourd, qui martèle sur le même clou incapable de s'en sortir pour se planter ailleurs.

Je ne savais pas que j'étais déréglé, que mon tic-tac marquait toujours la même seconde, que mes aiguilles avaient perdu le goût d'avancer.

Je ne savais pas que cette histoire vieille de quinze ans, son souvenir laissé loin derrière, à sept cents kilomètres au sud, reviendrait tel un tsunami me frapper de sa vague dévastatrice et me submerger jusqu'ici, dans ma forêt boréale.

J'avais pourtant reconnu mon crime et purgé ma peine maximale derrière les barreaux après que le juge eut décidé de faire de ma cause trop médiatisée un cas d'espèce pour créer un précédent et décourager les ados de mon genre, négligés ou abusés, qui pourraient être tentés à leur tour de se faire justice et d'abattre de sang-froid leur bourreau, qu'il soit père ou mère, car de la nature du lien filial le juge s'en foutait, tout comme des intentions et des désirs des prétendus victime et agresseur difficiles à départager dans cette histoire qui a débuté lorsque mon père est tombé par inadvertance sous le charme de ma séductrice et dévergondée de mère déjà enceinte de moi sans se soucier de ne pas être celui qui l'avait ensemencée, plutôt heureux comme un Joseph de ce deux pour un qui le comblait, car il avait la fibre paternelle développée et l'envie de me tisser avec elle un cocon douillet.

Mais elle en avait eu vite assez et par-dessus la tête de lui, devenu incapable de l'honorer après avoir été victime d'un accident vasculaire cérébral qui l'avait laissé diminué et elle insatisfaite jusqu'à décider de le plaquer là, avec moi sur les bras, son fils illégitime de neuf ans qu'il chérissait comme la prunelle de ses yeux jaunes, mais le fait est qu'il n'a jamais guéri, ni même cicatrisé de sa blessure qui le faisait encore souffrir six ans plus tard comme au premier jour, il en avait des veines qui éclataient à tout bout de champ dans le cerveau et déclenchaient des orages qu'il déversait sur moi, son fils chéri, mais sur qui d'autre le faire ? maintenant qu'elle n'y était plus, ni personne d'autres autour sur qui taper lorsque la douleur devenait insoutenable et que les éclairs de rage le déchiraient, pas même de cloisons à abattre dans notre maison devenue taudis, car il les avait défoncées, jetées par terre à coups de hache après qu'elle fut partie avec un étalon plus jeune et plus fringant.

Il fallait voir son désarroi de père lorsqu'il me découvrait, un bleu récent grand comme sa main d'homme imprimée sur mon avant-bras d'adolescent, le nez qui saigne et la lèvre entaillée, une bosse grosse comme le poing sur mon front haut et dégagé, il se précipitait pour me panser, me dorloter, me consoler en jurant de rosser l'enfant de chienne qui avait osé lever la main sur son fiston, car une fois l'orage passé, il n'en gardait aucun souvenir, bien que l'idée qu'il en soit responsable commençât à l'effleurer depuis le signalement de la voisine, effrayée de le voir déambuler de plus en plus souvent à quatre pattes et quasi nu dans le boisé derrière chez elle, le corps recouvert seulement d'une vieille peau de loup qui ne cachait pas grand-chose, en hurlant tout son soûl à la lune comme l'avait fait avant lui son propre père et son grand-père aussi qui se prétendaient dignes descendants du vieux mâle alpha, le dernier survivant de la meute chassée jadis de notre région, venu expirer un jour devant sa porte, depuis surtout la visite impromptue de l'intervenante sociale, inquiète de mes blessures pourtant mineures et superficielles, qui laissait entendre que mon fêlé de père n'était pas que victime mais aussi agresseur, et menaçait de faire éclater notre cellule familiale.

Et cette menace qu'elle faisait planer de nous scinder lui était tellement insupportable qu'il préférait plutôt mourir que de nous voir placés chacun de notre côté, moi dans une famille d'accueil, lui dans une institution pour personnes en perte d'autonomie, car il dépendait de plus en plus des soins que je lui dispensais de bon gré comme un fils aimant, car il était mon père ! refusaient-ils tous de croire.

Dans ces conditions, comment refuser d'acquiescer à son ultime demande, lorsqu'il l'a faite, après qu'une autre crise l'eut réduit à l'état quasi végétatif, en me braquant de ses iris jaunes pour me supplier de l'abattre, de lui permettre d'enfin rejoindre la meute qui hurlait jour et nuit à fendre l'âme dans son cerveau malade, et de mettre ainsi un terme à sa triste condition humaine ? ai-je demandé au juge qui n'a pas cru un mot de mon histoire, non plus à ma compassion et m'a condamné pour parricide, sans se soucier de mes intentions, non plus de ses désirs, ni même de savoir qui étaient la vraie victime et le bourreau.

Je croyais depuis avoir tourné la page et m'être fait une nouvelle vie, dans ce village minier au Nord où je vivais depuis presque dix ans, libre et heureux comme un animal sauvage dans ma cabane de bois rond, dans ma forêt boréale ; protégé par une armée d'épinettes noires qui étirent leurs longs squelettes haut dans les airs et égratignent de leurs pointes déjà givrées en septembre la voûte céleste plus bleue qu'au Sud ; enchanté par le chant des oiseaux qui s'en donnent à cœur joie, tapis dans leurs branches, par le cri triste et jodlé du huart qui se répercute telle une vague harmonieuse sur les eaux calmes et froides du lac pris sous un couvert blanc brumeux qui peine à l'aube à se lever ; amusé par la lente et prudente manœuvre d'un porc-épic qui descend à reculons de son perchoir, ses griffes longues et acérées plantées dans l'écorce d'un grand arbre, par le lièvre farouche qui décampe plus vite que son ombre, par la peureuse gélinotte huppée qui décolle dans un bruit d'hélicoptère ; fasciné par le comportement de l'orignal en période de rut, les mâles excités par l'odeur forte et persistante des femelles qui urinent et exhibent la tache blanche de leur vulve tiède et humide, prêtes à accueillir la semence des plus vigoureux qui foncent tête baissée à travers les branches, le souffle bruyant et sauvage, prêts à tout piétiner sur leur passage, aucun obstacle capable de freiner leur course à la reproduction, et qui s'affrontent à coups de panaches, qui luttent des fois à mort pour se mériter le droit d'en monter une qui mugit, en chaleur ; et surtout, envoûté par le hurlement du grand loup gris, prêt à le pister des semaines durant pour en surprendre le bout de la queue, l'espoir naïf d'en croiser un jour le regard fauve.

Mais depuis peu, la meute s'était dissipée, les plus jeunes avaient migré plus au nord en quête de territoires vierges où chasser et se reproduire en paix, loin des huit-roues qui avaient recommencé à circuler dans le coin et soulevaient des nuages gris de poussière, loin des tronçonneuses qui tailladaient à tort et à travers, déracinaient, déchiquetaient, piétinaient et dénudaient la terre pour en faciliter le forage, le pillage des ressources naturelles, sans se soucier de menacer le fragile équilibre des espèces végétales et animales en péril depuis cette rumeur de boum minier qui faisait déjà des ravages sans que personne ne s'en soucie, si j'excepte les écolos de mon genre préoccupés de la protection et de la régénération des écosystèmes, si j'excepte les populations autochtones chassées jadis comme les loups de leurs terres, refoulées depuis des siècles vers des territoires de plus en plus éloignés et arides, si j'excepte aussi les jeunes, inquiets de leur avenir et de celui de la planète pillée, souillée et menacée dont ils héritent comme d'une dette insurmontable.

Il n'y avait plus que le vieux mâle alpha pour répondre à mon appel lorsque le goût me prenait de hurler tout mon soûl à la lune, comme le faisaient avant mon père, et mon grand-père, et mon arrière-grand-père aussi, mais voilà que depuis deux jours, il ne répondait plus, alors à l'aube j'ai décidé de partir à sa recherche, et pour la première fois, j'ai croisé son regard fauve.

Il gisait, étendu de tout son long sur le tapis épais de feuilles mortes qui sentaient bon l'humus et l'automne, et haletait, coincé dans un collet qui le blessait et l'étranglait sous le regard d'un chasseur-trappeur qui en faisait le tour, fusil en bandoulière, appareil photo en main, et le croquait sous tous les angles en mâchant à grands coups sa chique de gomme, tantôt juché sur une souche pour le prendre de haut et avoir une vue d'ensemble, tantôt couché dans l'herbe humide, appuyé sur les coudes pour capter l'expression fine de la douleur, tantôt à genoux près de la tête de l'animal pour zoomer sur la plaie béante dans le cou qui palpitait, tantôt de plus loin pour profiter du paysage beau à couper le souffle et créer un effet dramatique.

Satisfait, l'homme s'est assis sur le tronc d'un arbre mort déraciné, a déposé son arme à plat sur ses genoux, a craché sa chique de gomme, s'est allumé une cigarette qu'il a fumée sans quitter sa proie des yeux pour ne rien rater de la lente agonie, l'appareil photo à portée de main, prêt à saisir au vol l'instant sublime et fugace du passage de la vie à la mort qu'il tenait à immortaliser sur son appareil numérique.

Je me suis approché, le pas lent et silencieux, jusque derrière le chasseur, sans attirer son attention rivée sur le loup qui, lui, flairait ma présence, tendait l'oreille fine et frémissante, mais lorsqu'il a voulu tourner la tête dans ma direction, il a gémi de douleur et s'est figé, inerte, pour inquiéter l'homme qui a aussitôt bondi, sans se préoccuper de son arme, tombée à ses pieds, tant il pressait de capter le dernier souffle, le dernier tressaillement de l'animal, mais il ne bougeait plus.

— Câlisse ! a-t-il juré.

Il a ramassé un bout de bois et l'a enfoncé dans le large poitrail du loup qui a échappé un faible gémissement pour prouver qu'il n'était pas encore mort comme l'avait craint le bourreau qui en a soupiré de soulagement, l'œil rivé à son appareil pour être sûr de ne rien rater du spectacle qui, cette fois, tirait à sa fin, se réjouissait-il sans remarquer ma présence dans son dos, sans s'inquiéter non plus lorsque j'ai marché exprès sur une branche sèche pour le surprendre.

— Y était temps que t'arrives ! a dit l'homme qui me prenait pour son partenaire de chasse. J'en ai plus pour longtemps, *man* ! Lances-y donc une pierre pour le faire réagir ! a-t-il ordonné sans se détourner du loup qui, lui, me dardait de ses iris jaunes et fiévreux.

J'ai déniché une roche grosse comme le poing que je lui ai balancée direct entre les omoplates plutôt que sur le loup comme il s'y attendait.

— Ayoye ! Mon tabarnac de malade ! Tu te trouves drôle peut-être ? a-t-il hurlé en se retournant, prêt à m'engueuler comme du poisson pourri.

Mais il s'est ravisé en m'apercevant, plutôt que son partenaire parti relever d'autres pièges, a-t-il expliqué en grimaçant un sourire mielleux et en s'empressant de sortir de sa poche et de me planter sous le nez son permis qu'il avait payé le gros prix pour avoir le droit inhabituel et *exclusif*, a-t-il insisté, de chasser l'orignal sur ce territoire protégé qu'il ne tenait pas à partager avec d'autres prédateurs, a-t-il déclaré en désignant le loup, ni avec d'autres chasseurs, a-t-il ajouté en me priant de dégager, mais je n'ai pas bronché.

Il a jeté un œil sur l'arme accrochée en évidence à mon épaule, puis sur la sienne par terre, a hésité, puis s'est décidé à faire un pas devant, l'intention de la ramasser, mais d'un coup de pied je l'ai repoussée plus loin, pour l'inquiéter cette fois.

Il s'est figé, a toussoté dans son poing, reniflé dans sa manche, mordillé sa lèvre inférieure sans quitter des yeux la carabine qui avait glissé sous un tas de feuilles, et il m'a toisé de biais, l'air de chercher à percer mes intentions (malveillantes, innocentes ou bienveillantes?), à apprécier ma dangerosité (taré social, fêlé du ciboulot ou simple idiot inoffensif?), mais je m'étais placé exprès à contre-jour et portais des lunettes fumées pour lui compliquer la tâche.

À défaut d'arme pour m'intimider, il a braqué son appareil sur moi et feint un intérêt surfait pour ma personne en me croquant sur le vif pour me flatter l'ego tout en déclarant que je crèverais l'écran si je prenais la pose, dans l'espoir naïf de me désamorcer et de pouvoir récupérer sa carabine, question de rétablir un juste équilibre, a-t-il tenté de plaisanter en désignant du doigt celle que je portais en bandoulière, mais je tenais à garder mon avantage, lui ai-je fait comprendre en m'interposant tel un obstacle entre son arme et lui qui, cette fois, a feint de s'en offusquer et a regimbé, bras croisés sur la poitrine, jambes écartées plantées solide pour ne pas donner prise à la peur qui commençait à sourdre et faisait trembler sa lèvre inférieure d'une drôle de façon.

— Écoute, bonhomme, mon *partner* va revenir d'une minute à l'autre pis ça pourrait dégénérer… il pourrait te prendre au sérieux pis me croire menacé… c'est un ancien flic… un tireur d'élite, je t'avertis… le doigt vite sur la détente… si tu vois ce que je veux dire…, a dit le peureux en jetant des regards effarés et désespérés autour.

Mais personne ne se pointait pour prendre sa légitime défense, ni ne bondissait du haut d'un arbre pour me désarmer et m'assommer, ni ne surgissait de sous un buisson pour me terroriser et me prendre en chasse, ni n'émergeait du lac, gueule grande ouverte, vert et gluant, pour me dévorer tout cru comme dans de mauvais films, le scénario prévisible, l'histoire arrangée avec le gars des vues pour lui assurer une victoire facile, il n'y avait que moi devant, qui décrochais mon arme et massais mon épaule endolorie, que le loup derrière qui respirait de plus en plus péniblement et me dardait de ses iris jaunes incandescents.

— C'est une belle bête, hein! Tu veux la peau? Tu pourrais en avoir un bon prix.

Voilà qu'il tentait de négocier, la peau du loup contre la sienne qui pesait peu dans ma balance, sa valeur en chute libre à mesure qu'il parlait, jusqu'à tomber sous la barre du zéro lorsqu'il a déclaré, le ton méprisant qui me donnait envie de l'écorcher plutôt que le loup qui ne me lâchait pas des yeux:

— Tabarnac! Tu serais pas un de ces hosties d'écolos qui s'en prennent aux chasseurs sous prétexte de préserver la faune et la flore pis de sauver les espèces menacées? Les crisses d'espèces menacées! Hey, allume, épais! C'est ta job qui est menacée si tu t'enlèves pas de mon chemin! Toé, t'es payé pour régénérer la forêt pis protéger nos cheptels; moé, je paye le gros prix pour chasser pis permettre au gouvernement de te verser un salaire, mon hostie!

Fier de sa tirade et de sa déduction, le perspicace s'est avancé, sûr de lui, les poings brandis fermés serré, le rictus méchant aux lèvres, convaincu que ma résistance ne serait que passive, que je n'étais qu'un simple épouvantail inoffensif dont la fonction n'était que d'effrayer, mais interdiction formelle de passer aux actes, que mon air buté et mon apparente détermination n'étaient que pures bravades et intimidations, se moquait-il, mais il a changé d'air et de ton lorsque j'ai levé mon arme et appuyé la crosse dans le creux de mon épaule pour prouver que j'étais sérieux et qu'il ne s'agissait pas d'un jeu, comme il l'espérait.

— Hé, *man*! Fais pas le cave! Je niaisais, là! *Come on, man*! a-t-il protesté d'une voix mielleuse qui devenait fluette et écorchait dans les hautes, tout en levant les mains au-dessus de sa tête et en reculant devant ma menace, la lèvre inférieure tressaillant de panique.

Ce ton tout à coup sirupeux après l'avoir eu aigre et acerbe, cet air faussement plaisantin après avoir craché son venin, ces trémolos ridicules dans la voix et cette habitude de dire *man* à tout bout de champ, tout comme ce tic d'enfant frustré sur le point d'éclater en sanglots me rappelaient quelqu'un, mais qui ? je me le demandais pendant qu'il marchandait et tentait de sauver sa peau.

— Qu'est-ce que tu veux, d'abord ? Que je te signe un chèque pour financer votre hostie de cause, c'est ça ? Dis ton prix… cent ? Deux cents ? Combien ? Mille ? OK, mille… Je te fais ça à quel nom ? a proposé le froussard qui fouillait déjà dans sa poche pour sortir son chéquier, comme si l'affaire était conclue.

— Enlève ta casquette ! ai-je ordonné.

— Ma casquette ? Pourquoi ? OK, pogne pas les nerfs, *man* !

Il s'est découvert, comme je l'avais commandé, et sans craindre le ridicule a cédé à la coquetterie de glisser les doigts dans ses cheveux pour les replacer dans le droit sens, les coiffer et les lisser sans un poil qui dévie ou retrousse, sauf une mèche qu'il a rabattue pour camoufler sa calvitie naissante, avant d'essuyer du revers de sa manche les gouttes de sueur qui perlaient sur son front, s'empêtraient dans ses sourcils, dégoulinaient sur ses paupières et lui brûlaient les yeux qu'il plissait dans l'espoir de mieux me voir et d'enfin savoir à qui il avait affaire, mais pour ma part, j'étais fixé : il s'agissait bel et bien du tartarin, ce fils de médecin gâté pourri, un vrai vantard de la pire espèce qui prenait plaisir à écraser et à soumettre les autres en s'imaginant ainsi s'élever et dominer.

— Tu pourrais peut-être te déplacer pis retirer tes verres fumés, pour que je te voie la face à mon tour ! As-tu peur que je te reconnaisse ? À moins que tu sois juste un crisse de lâche, ou un hostie de pervers qui prend son pied en…

Il s'est interrompu lorsque j'ai pointé le canon de mon arme dans sa direction en ciblant le cœur.

— Hey ! Fais pas le fou, là ! Tu vas quand même pas tirer ! Je suis désarmé, *man* ! C'est une *joke*, c'est ça ? Quelqu'un est en train de tout filmer pendant que je chie dans mes culottes pis va mettre tout ça sur le Web après ? C'est ça ?… Non ?… Ben c'est quoi d'abord ?

Sans baisser mon arme, j'ai fait trois pas de côté, de façon à m'exposer en pleine lumière plutôt qu'à contre-jour, et j'ai retiré ma casquette, mes lunettes fumées aussi.

— *Shit* ! s'est-il exclamé en pâlissant et en chancelant, la preuve que la mémoire lui était revenue.

Sans modifier ma ligne de tir, j'ai entrepris d'en faire le tour en prenant soin de réduire progressivement la circonférence de mon cercle pour le coincer, le piéger comme lui en piégeait d'autres, jadis, contraints de jouer au chat et à la souris, sauf que cette fois c'était lui qui tenait le rôle de la souris, qui pivotait sur place sans me quitter des yeux de crainte que je sois enclin, comme lui l'était, à tirer dans le dos de l'adversaire plutôt que de l'abattre de face.

— *Come on, man* ! On avait seize ans ! On savait pas ce qu'on faisait… on niaisait… on s'amusait ! C'était juste un jeu…

Les images resurgissaient en vrac dans ma mémoire, fraîches comme si c'était hier que lui et sa gang de petits merdeux juchés sur leurs motos pétaradantes avaient tourné autour de mon père effaré en soulevant des nuages de poussière grise, en hurlant et en riant comme des hyènes jusqu'à provoquer cette ultime attaque qui l'avait foudroyé, réduit à l'état végétatif sans qu'ils s'en soucient, trop soûls et trop gelés pour s'apercevoir que pendant qu'ils s'amusaient et resserraient leur cercle infernal, lui se tordait et convulsait, l'écume aux lèvres, sous la lumière blanche et froide de leurs phares braqués sur son long corps amoché…

— C'est quand même pas notre faute si le bonhomme a sauté sa coche ! On venait juste chercher la fille, la bègue qui squattait chez vous pis qui nous devait une grosse somme ! C'est lui qui s'est jeté sur nous autres ! Un vrai fou, cet homme-là, un crisse de malade. Réveille, *man* ! Il te sacrait des volées à tout bout de champ… Il te traitait comme de la marde… Il aurait fini par te tuer, un jour ! Ouvre les yeux, *man* ! On t'a peut-être sauvé la vie… pis c'est quand même pas moé qui l'a achevé, câlisse !

… lorsque lui et sa gang ont finalement pris la fuite, je l'ai découvert qui gisait, recouvert de poussière, son long corps réduit à sa plus simple expression, qu'un souffle rauque de bête blessée dans la poitrine, qu'une coulée blanche mousseuse au coin des lèvres, qu'un œil vitreux rivé sur moi, son fils chéri, qui l'enserrait, qui le berçait, et tout au fond de sa pupille, une inquiétante tache rouge qui s'agrandissait et cette supplique de mettre un terme à sa chienne de vie, de le libérer de sa triste condition humaine…

— C'est avec ta putain de mère que tu devrais régler tes comptes, pas avec moé, tabarnac ! C'est elle qui l'a rendu fou ! Pis après, elle a sacré son camp avec un autre… Elle t'a laissé avec le fou ! C'était même pas ton père, hostie !

… ce père m'a aimé, traité comme un fils légitime que je n'étais pas sans jamais se défiler, contrairement à elle, ma supposée mère, qui nous a tous deux largués à la première occasion, partie vivre sa vie de femme libre et insouciante avec son nouvel étalon sans se soucier de lui arracher le cœur,

de l'écorcher vif, de le déchirer et de l'abandonner en lambeaux, plus mort que vivant tant il l'avait dans la peau, avec mon fardeau de neuf ans sur les bras, et bien qu'il eût été justifié de les ouvrir et de me laisser tomber, il les avait refermés, forts et velus autour de moi, son fils bâtard, pour me faire un bouclier paternel à toutes épreuves, un étau d'amour inconditionnel, une cellule familiale peut-être anormale, peut-être incomplète, mais soudée à la vie à la mort pour le meilleur et pour le pire…

— Pis je te rappelle que c'est la fille qui t'a dénoncé, pas moé, câlisse ! Sans son témoignage, tu t'en serais sorti à bon compte… C'est elle qui t'a chié dans les mains, *man* ! Sans compter qu'elle est allée raconter que je l'avais mise enceinte, juste pour me faire chanter. Comme si je pouvais m'intéresser à elle, une bègue pas même capable de dire son nom, Eueee. Sa camée de mère l'avait appelée Euréka, t'imagines ! En tout cas, une vraie salope, cette fille-là !

… Eueee, l'écorchée vive qui sentait bon l'eucalyptus et m'avait embaumé dès le premier jour, Eueee que j'ai aimée d'un amour pur de puceau que j'étais encore à quinze ans, Eueee, ma fiancée à qui j'avais promis une lune de miel… après avoir dit oui, elle a juré en cour m'avoir vu me ruer comme un fou furieux sur mon dégénéré de père, m'acharner sur sa carcasse amochée à mains nues, soulever à bout de bras et avec rage son corps inerte, le charger comme un sac trop lourd sur mes épaules, tituber jusqu'à la grosse pierre qui surplombait la rivière, le balancer tel un déchet dans la rivière… n'eût été de son témoignage incriminant, probable que le juge aurait conclu au suicide plutôt qu'au meurtre, que l'affaire aurait été classée, vite reléguée aux oubliettes, et moi lavé de tous soupçons, mais elle a choisi de m'accabler plutôt que le tartarin et sa gang de motards qui s'en sont sortis indemnes et blanchis…

— On a tous payé, *man*, chacun à notre façon ! C'est toujours pas ma faute si c'est toi qu'on a mis derrière les barreaux !

... le juge m'a condamné à trois ans fermes reclus en centre jeunesse, le temps d'y atteindre en toute sécurité mes dix-huit ans et aussi de réfléchir à la gravité de mon crime – car c'en était un ! avait-il martelé pour me l'entrer dans la tête –, et à trois autres que je pourrais purger dans la communauté, en liberté surveillée plutôt que derrière les barreaux de Pinel, à la condition de reconnaître d'ici là que mon crime était prémédité et motivé par la vengeance, peut-être légitime mais néanmoins illégale, et qu'il s'agissait bel et bien d'un parricide, avait-il de nouveau martelé, d'un crime qui n'avait rien mais rien à voir avec la compassion comme je le prétendais, d'autant plus que l'homme n'en méritait pas, avait-il insisté en insinuant que j'étais atteint du syndrome de Stockholm plutôt que de croire à mon amour indéfectible...

— Mes vieux m'ont déshérité, *man* ! C'est pas rien, ça ! Paraît que j'avais déjà reçu plus que ma juste part, en additionnant les frais d'avocat pis la rente qu'ils ont dû verser à la fille prétendument enceinte de moi. Elle l'a même pas eu, cet enfant-là, crisse ! Elle a avorté ! Mais elle a gardé le magot, tu penses... Tout ça pour dire que je l'ai payé cher en hostie, à ma façon. N'empêche que je peux m'arranger pour te dédommager, si c'est ça le problème... Dis ton prix... Combien ?

... le tartarin a prétendu être intervenu plus d'une fois pour assurer ma légitime défense, pour tenter de me sortir de mon trou sordide, pour me protéger des coups et blessures que m'infligeait mon imprévisible et violent de père qui n'avait rien d'un homme aimant surprotecteur, comme je le prétendais pour ne pas crouler sous le poids de ma misérable

condition, pour échapper à la grisaille de mon quotidien, a-t-il juré en Cour pour me faire payer de m'afficher sourire béat aux lèvres comme un bienheureux qui ne pouvait pas l'être ! avait souvent ragé celui qui avait tout ce qui s'achetait mais manquait de l'essentiel qui n'a pas de prix, alors que j'en débordais pour le faire crever de jalousie, que je resplendissais tel un phare braqué sur son vide…

— *Come on, man*, c'est de l'histoire ancienne tout ça. On voulait juste te faire chier comme tu nous faisais chier avec ta face de lune, toujours l'air content, au-dessus de tes affaires, alors que t'avais rien pour être heureux, rien câlisse ! On voulait juste s'amuser… Ç'a dégénéré quand ton paternel est sorti tout nu sur la galerie avec sa vieille peau de loup sur les épaules pis qu'il s'est mis à courir derrière nous autres en grognant, en hurlant pis en montrant les crocs comme un animal enragé… Hostie ! Tu crois toujours pas que… Hey, allume ! On est au vingt et unième siècle, *man* ! C'est pas vrai, les histoires de loup-garou ! Y a juste dans les vues que ça arrive… C'est pas vrai ! T'es aussi fou que lui ! C'est du délire, ton histoire !

… un vrai délire de lycanthrope, avait expliqué en Cour le psychiatre qui n'en avait jamais rencontré un vivant mais prétendait s'y connaître, car il avait étudié le cas de milliers de condamnés, pendus, brûlés ou écorchés vifs pour avoir usurpé la personnalité, même l'apparence du loup afin de terroriser leurs victimes, de commettre en toute impunité leurs gestes violents et irrévérencieux, et mon loup de père était un de ceux-là, avait-il déclaré en me soupçonnant d'être atteint du même mal, à cause de cette histoire de père réincarné en loup que je m'étais inventée, peut-être pour alléger ma souffrance, minimiser sa perte ou soulager ma conscience qui avait besoin d'une échappatoire, avait-il inutilement plaidé sans parvenir à me convaincre, car il aurait

fallu pouvoir expliquer autrement le retour inopiné du grand loup gris dans la région d'où il avait pourtant disparu depuis des lustres! même les naturalistes s'en arrachaient les cheveux! avais-je à mon tour argué, d'autant plus que ce retour coïncidait avec la disparition du corps de mon père dont la dépouille n'a jamais été retrouvée, pas plus que la peau du loup dont il ne se départait plus depuis des lunes, simple question de hasard, je suppose? avais-je soulevé devant le juge qui en était resté bouche bée…

— OK, baisse ton arme, là… Tu vas quand même pas me tuer pour une histoire de loup-garou! Fais pas le fou… tire pas, *man*! Je m'excuse… je ferai tout ce que tu veux! Tout, *man*!

Il s'est écroulé à genoux devant moi pour me supplier de l'épargner, acceptant à l'avance toutes mes demandes et, pendant qu'il se lamentait, qu'il sanglotait, qu'il rampait, prêt à me lécher les bottes si je l'exigeais, le vieux loup gris, étranglé par son collet, ne me lâchait pas des yeux, me dardait de ses iris fauves, de son regard fiévreux comme mon animal de père l'avait fait cette nuit-là, noble, fier et résigné.

— Je veux pas mourir…, a gémi le lâche.

J'ai enclenché.

— Tire pas, *man*… tire pas…

J'ai tiré.

4

dégage ! dit la jeunotte

— dé… dé… gage !

bégaye une femme, la voix autoritaire, le geste rude aussi en me poussant et me brassant pour me sortir des limbes où je flottais pourtant à l'aise avant qu'elle débarque pour me ramener en catastrophe sur terre, l'atterrissage brusque et forcé, sous prétexte qu'elle a un corps à prendre à l'intérieur de la morgue

j'entrouvre un œil et la découvre, tout juste trente ans ! nullement l'allure du croque-mort grisâtre et terne, voûté et squelettique, austère vieux de naissance, cérémonieux et maniéré de mes souvenirs, plutôt costaude et bien en chair, la jeunotte, le regard vif et le teint rose, des courbes et des rondeurs appétissantes qui ne cadrent pas avec le profil de l'emploi, non plus ce jean moulant et ce t-shirt trop court qu'elle porte sous sa vareuse déboutonnée exprès pour me perturber le jugement, mais mon incrédule en a vu d'autres avant et ne bouge pas d'un poil

elle revient à la charge, me tapote, me pince, me flatte dans le sens du poil dans l'espoir que je déplace mon corps qui l'entrave et n'est pas encore mort, à ce qu'elle sache, alors oust, dégage, ton tour viendra bien assez tôt !

ordonne-t-elle en tirant sur ma redingote roulée en boule et glissée comme un oreiller douillet sous ma tête dure et migraineuse pour perturber le sommeil de mon ours bourru qui grommelle, grogne et montre les crocs en menaçant de les planter dans la paume dodue de sa main si elle ne la retire pas de sous mon nez

mais la jeunotte n'est pas dupe de mon numéro qu'elle observe sans s'en surprendre, comme si elle en avait l'habitude, pas même impressionnée lorsque mon animal enragé se déplie et se dresse debout sur ses deux pattes pour la dominer de deux têtes et l'écraser de sa carrure, peut-être en a-t-elle côtoyé et apprivoisé de plus effrayants? peut-être aussi aime-t-elle s'exposer pour jouir comme une femme qui frôle un danger? à moins que la menace que je représente devant soit moins effrayante que celle qui la guette derrière, si jamais elle retraite, me dis-je en croisant son regard trop sombre, un vrai trou noir de femme qui a la mort dans l'âme

alors je m'écarte, ébranlé et effrayé par son précipice, lui cède le passage comme un galant sensible à sa détresse féminine, mais aussi opportuniste à mes heures, car j'en profite pour me faufiler collé comme une ombre à ses talons sans qu'elle ne s'en soucie ni ne s'inquiète de la présence de mon épouvantail, ni ne regimbe lorsque je grimpe sur ta dalle glacée, m'étends à tes côtés et enlace ta maigre dépouille, ni ne s'étonne lorsque je célèbre haut et fort tes charmes de Sulamite et jure de rester l'éternité à tes côtés, nos deux corps à tout jamais soudés jusqu'à ne former qu'un seul bloc de glace compact, trop occupée on dirait à fouiller dans ses papiers, juchée elle aussi sur une dalle libre et glacée, à siffloter une marche funèbre, à balancer ses jambes solides, sans se soucier d'en frissonner, la chair de poule sur tout le corps, ni d'en tousser, la quinte

bronchite qui virera bientôt en pneumonie si elle y reste au lieu d'en sortir

mais comment faire? tant que j'y suis, grand énergumène collé à ta dépouille, à t'inonder de larmes tiédasses, à te jeter des regards brûlants, car paraît-il que c'est toi et pas une autre qu'elle vient chercher! le désir de te restaurer plus belle que nature, de te figer un air serein et pacifié, de te parer de tes plus beaux atours pour épater la galerie une dernière fois et faire des jalouses jusque dans ta tombe, mais encore faudrait-il que je décolle, car si je persiste à te souffler comme un bœuf dans le cou pour te réchauffer l'air ambiant et te faire fondre à la vitesse accélérée de la calotte glaciaire, je risque de compromettre son travail et ton exposition devra se faire à cercueil fermé, ajoute la jeunotte qui devine ton besoin de femme de plaire et d'être admirée une dernière fois après ta mort

— lâche-moi, vieux fou!

ordonnes-tu en te débattant comme une forcenée dans mon cerveau de sans-génie pour que je desserre mon étreinte, alors je m'exécute, comme un animal dressé à t'obéir au doigt et à l'œil, sans même l'espoir d'être récompensé, tant je suis conditionné à faire le beau, le fin, le drôle, même plus besoin de me gratter la nuque, ni de me gratifier d'un baiser sucré, je le constate et m'en hérisse mais saute quand même par terre en bougonnant pour la forme, empoigne la civière et la pousse à l'extérieur de la morgue

— hue! au galop!

hurles-tu, hystérique, en me fouettant l'étalon avec tes menaces de me hanter jour et nuit, de faire de ma vie un vrai cauchemar si je te prive de cette ultime occasion de faire ta belle, ta plus que belle, alors je me précipite, m'emballe et fonce dans le couloir sans me soucier de l'embaumeuse ahurie qui court derrière, échevelée, et donne ses ordres, ààà droite! ààà gggau... che! de... devvvant! car je file à toute vapeur, tourne les coins ronds, carrés aussi, dérape, fait même un tête-à-queue qui te fait rire, vieille folle, mais pas la jeunotte qui s'inquiète de mes excès et tente de freiner mon cheval fou, mais j'ai pris le mors aux dents et je hennis, galope et emboutis le fourgon mais sans dommages apparents non plus collatéraux, me rassure l'embaumeuse en jetant un coup d'œil sur ta dépouille puis sur la portière hayon qu'elle soulève pour te pousser à l'intérieur

— pour... quoi pppas mmm... monter de... de... vant?

plutôt que de faire le voyage avec ta dépouille derrière, propose la jeunotte, la voix sincère et sympathique, en me voyant indécis, figé devant la portière qui bée, à hésiter entre y grimper à tes côtés et la refermer après, ou la refermer avant et risquer d'y rester planté et d'y crever, car je la soupçonne de projeter de démarrer en trombe et de vouloir m'abandonner comme un sac vert malodorant au bord du chemin, et l'imagine déjà, rivée à son rétroviseur, à se moquer de mon sans-génie facile à berner, à s'amuser de me voir courir et gesticuler, baguettes en l'air, à rire aux éclats lorsque je m'affaisserai de tout mon long dans la rue, et convulserai, me contorsionnerai et...

— couou... don, a... a... rrrive!

s'impatiente-t-elle, la tête sortie par la fenêtre pour m'intimer de monter à ses côtés au lieu de rester figé sur place tel un Thomas incrédule qui refuse d'y croire, à objecter ne pas être sur mon trente-six, ni sentir la rose, mais elle n'est pas dédaigneuse ni n'a l'odorat sensible, affirme-t-elle en s'étirant le bras pour m'ouvrir la portière du côté passager et en me tirant par la manche, la preuve qu'elle ne répugne pas à côtoyer ni à toucher un énergumène de mon genre défraîchi, faut dire qu'elle a l'habitude d'en manipuler en état de décomposition plus avancée et aussi de voyager avec des corps étrangers qui dégagent

le pied pesant sur l'accélérateur, elle roule à tombeau ouvert, la musique à fond la caisse, les fenêtres rabaissées pour le plaisir de la caresse du vent, tient-elle à préciser avant que je la soupçonne à tort d'être indisposée par mes effluves qui ne l'affectent pas davantage que les tiennes, jure-t-elle, alors que pour ma part j'en ai la tête qui tourne, les jambes qui ramollissent, le cœur qui fait des bonds et me remonte au bord des lèvres tant tu embaumes, j'en ferme les yeux et respire à pleins poumons pour m'imprégner de ton odeur rance et la graver à tout jamais dans mon bulbe olfactif qui n'a pas souvenance d'en avoir senti d'aussi intense, j'en suis à un cheveu de perdre les pédales et de sauter derrière pour me vautrer sur ta dépouille et y mourir d'amour lorsque la jeunotte vire abrupt sur les chapeaux de roues dans une allée bordée d'arbres géants et freine d'un coup sec pour me refroidir les ardeurs et me ramener le thermomètre à zéro, un peu plus je me fracassais le crâne dans le pare-brise faute de l'avoir bouclée, trop peur d'y rester coincé, d'y périr étranglé ou pire asphyxié! ai-je évoqué pour justifier une dispense, alors maintenant assume, pourrait-elle me narguer

— tout... tout llle monde des.... descend!

déclare-t-elle en bondissant du véhicule sans expliquer pourquoi elle s'arrête ici, devant cet imposant bâtiment de pierre aux allures de château d'une autre époque, avec ses tourelles inquiétantes, ses créneaux, même des donjons! car il me semble reconnaître l'ancienne prison pour femmes jadis sous-occupée, coûteuse et désuète, aujourd'hui rénovée et sûrement à vocation mixte pour ne pas discriminer selon le sexe et surtout maximiser le taux d'occupation, ne puis-je m'empêcher de supputer, le cœur en débandade à l'idée d'avoir été piégé, mais plutôt que de fuir comme un lâche que je suis et de t'abandonner, vieille dépouille sans défense, voilà que je dépose les armes et baisse les bras, croise les poignets dans mon dos, et attends qu'on me passe les menottes, qu'on me bouscule, qu'on me rudoie et me tapoche et me matraque comme je le mérite avant de me jeter la tête la première dans un cachot fraîchement repeint où je croupirai comme un rat le restant de mes jours derrière les barreaux, à purger une sentence méritée, je l'avoue, car j'ai joui illégalement et plus souvent qu'à mon tour de la liberté d'errer, et dormi dans des endroits interdits sans jamais verser un sou alors qu'on m'a facturé ! j'en ai pour plus de vingt mille dollars en contraventions impayées, peut-être est-il temps après tout de rembourser mes dettes à la société, conclus-je, résigné

— grrr… rouille !

bégaye l'embaumeuse qui m'attrape par le bras, me secoue le pommier et me bouscule pour me sortir de mon cauchemar, car il urge de ralentir ta décomposition déjà en cours, si elle se fie aux fragrances que tu dégages et laisses dans ton sillage qui suggèrent que tu marines dans ton jus, explique-t-elle à mon hurluberlu qui la suit collé aux talons de peur de m'y perdre dans les dédales de son château qui désormais n'emprisonne plus personne, si on excepte les âmes en peine incapables de s'en libérer, raconte-t-elle avant de freiner d'un coup sec sans préavis, une mauvaise habitude on dirait, un peu plus je l'emboutissais, mais au lieu de s'en formaliser et de me houspiller, elle me balance par la tête une vareuse blanche imperméable, des couvre-chaussures de plastique bleu, un masque hygiénique et aussi des gants au port non négociable, si je veux entrer dans son laboratoire plutôt que de t'attendre, piteux, vieux chien galeux couché devant la porte, dit-elle en s'en affublant elle-même sans crainte du ridicule qui ne tue pas, c'est à prendre ou à laisser, alors je prends et la suis dans son enceinte bien ventilée brillante immaculée

pas question toutefois de rester debout dans son dos à regarder par-dessus son épaule et risquer de la distraire de sa tâche délicate, pas question non plus de dégueuler sur son beau plancher luisant comme un sou neuf, m'avise-t-elle, alors tu vas t'asseoir sur le banc d'âne au fond, près de l'évier, me désigne-t-elle du doigt, et si jamais j'en bouge, elle m'expulsera sur-le-champ, sans pardon ni droit d'appel, compris ? me menace-t-elle d'un index autoritaire recouvert de caoutchouc qu'elle pointe comme une arme prête à décharger au moindre geste déplacé de ma part

— message reçu, gravé… euh… là-dedans… euh… princesse, dis-je en me tapotant le lobe frontal et en insistant sur le terme *princesse*, tant il est évident que nous sommes dans *son* château et non dans un banal funérarium, indifférent d'un autre

faut voir comment elle te savonne et désinfecte, récure à fond, devant comme derrière, dans tous les creux et sous les plis, et frotte par-ci et rince par-là, le geste vigoureux plutôt que la main molle, mais attentionnée et presque caressante, quasi l'envie de m'étendre à mon tour, tant elle bichonne et dorlote, bien que dans mon cas je préférerais qu'elle s'active à mains nues et fasse preuve de moins de retenue et de respect, et qu'elle se laisse aller, pourquoi pas ? à quelques attouchements irrévérencieux sans conséquence, ni risque de plainte de ma part consentante, suis-je à fantasmer comme un viril en manque maintenant que tu as levé l'ancre et mis le cap vers d'autres cieux comme une friponne qui n'y est plus pour tanguer lascive à mes côtés, me souffler dans les voiles et les oreilles, me soulever la coque de ta vague amoureuse et faire briller au large le phare de ta promesse jamais tenue de m'engloutir un jour et de me garder l'éternité à nager dans ta mer intérieure...

pendant que je rêvasse, l'embaumeuse enfile une longue aiguille, la plante juste là, sous ton menton, transperce ta mâchoire de bord en bord et exécute un point de suture vite fait et invisible pour te fixer les mandibules solide, question de ne pas te surprendre à bâiller dans ton cercueil! explique-t-elle, même pas ironique, pour me refroidir les ardeurs et me ramener les pieds sur terre, puis elle se lève, va fouiller dans ses CD, cherche une musique appropriée pour te détendre les muscles crispés et te donner le goût de travailler de concert avec elle, opte finalement pour un air d'opéra qu'elle connaît par cœur et chante à tue-tête sans fausser ni bégayer, tout en jouant du scalpel, car il faut inciser profond sous la clavicule pour drainer le sang, et couper là, en plein dans l'artère carotide, pour injecter son savant mélange de fluide, et te masser de la tête aux pieds et jusqu'au bout des doigts, car il faut que ça entre, que ça circule et aussi que ça sorte! s'échine-t-elle pour te faire une vraie vidange comme je n'en ai jamais vu, avec surcharge du drain qui ne fournit pas au bout de la table et qui dégorge et qui gargouille et qui glougloute jusqu'à me donner envie de me dévider à mon tour, dans le lavabo blanc immaculé à droite, me rappelle-t-elle d'un mouvement de tête explicite sans pour autant cesser d'opérer ni de s'époumoner, une vraie Castafiore qui s'en donne à cœur joie, écorche à peine dans les hautes, sans se soucier de mon hurluberlu qui vire au vert en observant la scène inusitée, surréaliste et effrayante même pour un bougre endurci de mon genre qui en a pourtant vu de toutes les couleurs, mais comme celle-là, jamais ! j'en tourne de l'œil, glisse en douce en bas de mon banc, jambes flageolantes et sueurs froides, et m'affaisse sans faire de bruit dans un recoin, surtout ne vous dérangez pas princesse, seulement besoin d'un court entracte, le temps de digérer et reprendre mes esprits, dis-je d'une voix faiblarde peu convaincante à l'embaumeuse qui n'a pas le temps de me dorloter, car elle doit maintenant te ponctionner, te purger à fond et t'assécher les viscères, ensuite réinjecter une savante mixture de formaldéhyde concentré pour te réhydrater et te redonner l'allure vivante presque en santé plutôt que cadavérique et momifiée, après il lui faudra cautériser, boucher tes orifices, question de prévenir les reflux et écoulements disgracieux, précise-t-elle à mon sensible qui ferme cette fois les yeux et enfonce un index profond dans chaque oreille, car j'en ai assez vu et entendu pour aujourd'hui

— vvvoi… lllà ! lla pre… premmmière é… é… tape est… est ttter… minée !

m'informe l'embaumeuse en retirant ses gants de caoutchouc et en sortant du frigo un sandwich énorme qu'elle me propose de partager, car la généreuse a l'estomac creux dans les talons, contrairement à moi qui l'ai encore haut dans la gorge, à peine si je peux déglutir, alors permettez que je passe mon tour, dis-je à la belle qui croque déjà à belles dents dans la baguette fourrée de jambon et de fromage qu'elle avale quasi tout rond, tant elle se meurt de faim, tout en jetant des coups d'œil inquiets en direction de cet autre cadavre qui gît seul dans son coin sous un drap blanc impersonnel dont elle devra s'occuper une fois rassasiée pendant que ta dépouille absorbera les fluides injectés pour te régénérer les tissus en voie de décomposition, et ça prendra un bon deux heures, m'avise-t-elle en ajoutant du bout des lèvres que je peux en profiter pour sortir me dégourdir les jambes dehors, caler une bière ou deux, ou quêter ma pitance, si ça me chante, tout en me clouant sur place d'un regard de bête effarouchée qui me supplie de ne rien en faire et d'y rester cloîtré avec elle, qui craint quoi ? peut-être un tête-à-tête avec le cadavre qui repose là-dessous, sinon quoi d'autre ?

— trop fatigué… euh… princesse… plutôt le goût de piquer un roupillon… euh… pendant qu'elle marine…

dis-je en bâillant à m'en décrocher les mâchoires pour qu'elle y croie, en me recroquevillant sous la table où tu reposes pour ne pas empiéter sur son territoire, la jeunotte en soupire d'aise, dépose sur ma carcasse une couverture épaisse, éteint la chaîne stéréo, car pour *celui-là*, il n'y a pas de musique possible, l'entends-je grincher entre ses dents de rage mal contenue, peut-être d'effroi aussi, ou les deux qui vont souvent de pair, et je garde la pose du dormeur béat, et ronfle comme un bienheureux pendant qu'elle s'acharne sur la dépouille de l'homme qu'elle traite avec moins de circonspection, si je me fie aux sacres, aux invectives et aux menaces qui lui échappent à l'occasion et suggèrent que celui-là elle a plus envie de le massacrer que de l'embaumer, alors pourquoi le faire ? ai-je amplement le temps de ruminer et de supputer

lorsque j'entrouvre un œil, la jeunotte est juchée sur un tabouret, l'air ravagé, les traits tirés, le teint blafard, le regard noir rivé sur le cadavre de l'homme qui repose sous sa couverture, et elle balance en déphasé ses jambes solides, le rythme endiablé d'un métronome emballé pressé d'en finir qui saute des mesures, et elle claque exprès du talon sur les pattes métalliques de son siège inconfortable pour m'indiquer qu'il est l'heure de sortir de ma léthargie, si je veux la voir te refaire une beauté, et l'aider aussi à oublier l'autre corps mort qui marine seul dans son coin

à peine le temps de m'étirer, de me délier les membres engourdis, que la jeunotte a déjà sorti sa trousse de maquillage et exhibe son étalage de poudre, de crème, de gélatine et de pâte à modeler de toutes les couleurs qu'il faut appliquer tantôt dessus tantôt dessous la peau qu'il faut remodeler, et étirer un peu par-ci pour éliminer un pli trop apparent, et gonfler par-là pour faire disparaître ce creux qui te donne l'air rachitique, et pétrir ceci et aussi cela pour te figer un air paisible de circonstance, et blanchir ton teint cireux jauni par l'âge et la bile de ton foie cancéreux, et camoufler les taches de rouilles sur tes mains osseuses, quelle femme aime en avoir en évidence? soulève-t-elle à raison, et raser de près les surfaces apparentes et velues, et teindre et coiffer et gonfler tes cheveux clairsemés pour leur donner du volume et adoucir tes traits, et tant qu'à faire, pourquoi ne pas appliquer une couche de vernis rouge vermeil sur tes ongles fraîchement taillés? propose-t-elle avant d'enfiler ta longue robe grise soyeuse, d'attacher autour de ton cou un collier de perles assorties et autour de ton poignet les bracelets que tu faisais tinter pour signaler ta présence féminine et attirer sur toi l'attention que tu exigeais exclusive, ne reste plus qu'à appliquer sur ton joli minois une couche épaisse de poudre et de maquillage, qu'à déposer léger sur ta chevelure laquée ton beau chapeau à voilette, qu'à en rabaisser le mince filet pour dissimuler ton front haut dégarni et t'exposer dans toute ta splendeur, plus belle et appétissante que jamais, ta bouche rose et gourmande de Sulamite gonflée tel un fruit mûr et juteux qui me soulève l'envie subite de te croquer la babillarde et de clamer haut et fort tel un Salomon qui succombe encore à ton charme:

— « que tu es belle, ma compagne ! que tu es belle ! tes yeux sont des colombes aux ailes repliées, ta chevelure est comme un troupeau de chèvres qui dégringolent du mont Galaad, comme un ruban écarlate sont tes lèvres et ta babillarde est jolie à croquer, comme la tranche d'une grenade est ta tempe à travers son voile, tu es un jardin verrouillé, ma sœur, ô fiancée »

l'embaumeuse en rougit de plaisir et sourit malgré elle, la bouche tirée en coin, de m'entendre célébrer ainsi ton extrême beauté

— « que mon chéri vienne à son jardin et en mange les fruits de choix ! mangez, compagnon, buvez, enivrez-vous ! »

déclames-tu, vieille ingénue, sans pour autant entrouvrir ni même bouger tes lèvres figées pour l'éternité sur un énigmatique sourire de Joconde, de cette voix basse et éraillée que tu prenais pour tester ton emprise sur mon hurluberlu qui se précipite pour exaucer ton vœu de femme et te dévorer la grenade à pleine bouche

— non ! tu vas m'abîmer le portrait !

hurles-tu, hystérique, pour me freiner les ardeurs pendant que l'embaumeuse, debout derrière, m'attrape le sans-génie par le collet, me tire d'un coup sec, me houspille sans retenue le maudit innocent, le pauvre crétin, la triple andouille pour aussitôt s'en excuser, s'en repentir et s'accuser d'avoir abusé de ses connaissances bibliques et surtout de son talent de ventriloque qu'elle exploite à l'occasion lorsqu'il urge de dire, pas de temps à perdre à bégayer, car les mots qu'elle prononce par personne ou objet interposé coulent fluides et limpides au lieu d'achopper et de s'embouteiller comme ils le font lorsqu'ils sortent direct de sa bouche, mais son intention n'était pas de me tromper, non plus de se marrer à mes dépens, seulement de me réconforter, jure-t-elle mais j'en doute, non pas de son talent ou de ses motivations, mais de son rôle réel dans cette histoire, car je te soupçonne plutôt, vieille ratoureuse, d'avoir orchestré la scène et pénétré par effraction dans sa tête de jeunotte pour lui souffler ta réplique, et non l'inverse, dis-je à mon tour pour la rassurer, mais elle s'en révulse

— t'es ma... ma... mallll... ade !

proteste-t-elle en rejetant ma thèse saugrenue du revers de la main et en revendiquant ses droits d'auteur plutôt que son statut de victime de la supercherie, déjà elle se racle la gorge et se prépare à aligner une tirade de son cru, par dépouille interposée, pour me convaincre de son rôle principal

— regarde-moi comme il faut la face cadavérique ! pas celle de l'embaumeuse, idiot, celle de ta Sulamite ! bon, je parle, là, pis vois-tu mes lèvres bouger ? non, hein ! c'est parce que je suis morte, tête de linotte ! pis si jamais tu continues de croire que c'est mon cadavre plutôt que l'hostie de croque-mort qui te parle, y est plus que temps que t'ailles te faire soigner, compris... *chéri* ?

bel effort, dois-je reconnaître, mais nullement convaincant, car les arguments utilisés sont faibles et fallacieux : *primo*, leurs lèvres ne bougeaient pas plus l'une que l'autre ; *secundo*, la jeunotte ne se qualifierait jamais elle-même de croque-mort, d'autant plus que le terme obsolète n'est pas de son époque mais de celle de la vieille, ça oui ; *tertio*, il n'y a que toi, ma belle décrépite, pour me surnommer ainsi, *chéri*, sur ce ton qui me donne la chair de poule, j'en frissonne de haut en bas de l'échine au grand dam de l'embaumeuse qui s'en prend la tête à deux mains et soupire, découragée, et s'accuse de manque d'éthique, se martèle la poitrine du coupable, alors avant qu'elle se flagelle et s'immole, je feins d'adhérer à sa version des faits et simule et concède et entérine tout ce qu'elle dit, oui oui, de A à Z, question de lui freiner les tendances autodestructrices, mais derrière ma tête de caboche, la volonté de l'amadouer et de maximiser mes chances qu'elle obtempère à ma demande inusitée de passer la nuit à ton chevet sur promesse de ne pas te toucher, ni t'effleurer ni même te humer les odeurs alléchantes de trop près, seulement te contempler, seulement te chanter la pomme sans la croquer, seulement rêver de toi en tenue d'Ève et moi d'Adam

au petit matin, nous soulevons à quatre mains ta maigre dépouille et la déposons sur la couche de paille recouverte de fibres de coton naturel biodégradable de ton cercueil en préfini écologique, tes mains posées à plat plutôt que jointes sur ta cage thoracique d'oisillon, sans mise en scène particulière ni artifices pour épater la galerie, de toute façon nous ne sommes que trois à assister à ton dernier numéro et tous sis au parterre, si j'exclus le célébrant qui prononce une brève allocution et rappelle l'importance que tu avais dans la vie des deux autres en omettant de mentionner celle de mon pauvre clochard déniché, il est vrai, sous un buisson ardent et confondu avec un séminariste boutonneux qui, paraît-il, t'a séduite adolescente avant de disparaître du décor, sans savoir où ni pourquoi

— mais peut-être… euh… le suis-je?

ne puis-je m'empêcher de protester haut et fort, malgré que je n'en conserve aucun souvenir, mais comment expliquer autrement que je te sois attaché, lié, sans volonté de me défaire de tes chaînes? pas même un maillon faible prêt à lâcher, soudé à tout jamais, tant notre alliage va de soi, tant notre alliance, peut-être irrégulière, est solide, quelqu'un a une réponse peut-être? crié-je en me plantant, poings sur les hanches, devant le célébrant qui n'en mène pas large et réclame d'un coup d'œil l'intervention d'un acolyte qui s'avance, pose une main lourde sur mon épaule, me tire vers la sortie, suggère d'aller me remémorer tes charmes ailleurs et sangloter dehors, pourquoi pas sur mon coin de rue ? où je pourrai exprimer sans retenue ma peine, l'exposer à ciel ouvert et même la partager avec mes fidèles donateurs qui s'empresseront de se délester de quelques pièces supplémentaires jetées dans ma cagnotte comme un baume sur ma plaie ouverte sanguinolente, libre à moi après d'en disposer à ma guise pour me remplir la panse, étancher ma soif sans fond, ou créer une fondation en ton honneur, si ça me chante ! déblatère-t-il sans prendre de pause, un vrai vendeur habile qui cherche à me distraire de mon sujet, à m'en écarter en douce, pendant que l'autre en profite pour te rabattre le couvercle d'un coup sec, te river ton dernier clou et décréter unilatéral que le temps est venu de te mettre en terre

— sans moi ???

réalise trop tard mon énergumène qui échappe à l'étreinte du sournois et te découvre déjà mise en boîte et scellée une fois pour toutes, alors qu'il y avait de la place pour deux tassés serré, là-dedans ! dis-je en revendiquant mon droit d'y être à tes côtés, et aussi celui d'être mis en terre de mon vivant, si ça me plaît d'expirer dans tes bras, d'autant plus que je suis cent pour cent bio, écologique, non recyclable, déjà en voie de décomposition, je le certifie ! mais les officiants en doutent et tentent de me calmer, car je m'emballe baguettes en l'air, et rage bave au menton, et révulse les dents serrées, yeux au plafond, et pète les plombs, et dégénère et saute d'un bord et saute de l'autre et tourne à droite et vire à gauche, dérape, capote et vrille arrière et atterris finalement sur ton cercueil, étendu de tout mon long, les bras en croix, incrusté profond, prêt à mordre griffer tabasser étêter éviscérer le premier qui tentera de m'en déloger, compris !

— vieux fou ! soupires-tu à travers l'épaisse cloison de bois pour me calmer d'un coup l'hurluberlu

— fou à lier… de toi… euh… ma Sulamite !

je susurre à mon tour, les lèvres humides écrasées sur ton couvercle, et nous y serions restés l'éternité à nous conter fleurette, si l'embaumeuse n'avait pas été appelée en renfort pour examiner de près mon problème, l'évaluer, le soupeser et finalement baser ses recommandations sur les quatre constats suivants : *primo*, je suis fort comme un bœuf déraisonnable capable de charger et d'encorner le premier à agiter son drapeau rouge ; *secundo*, pas question de m'enterrer vivant, même si je t'aime à mort comme un fou qui manque de limites ni ne sait où les fixer ; *tertio*, il n'est pas dans ses fonctions d'abréger mon existence qui tourne peut-être à vide, maintenant que tu n'y es plus pour me combler, mais c'est mon problème et non le sien ; *quarto*, il est toujours possible d'attendre que je mûrisse, que je me détache et tombe de moi-même de ton cercueil, mais quand ? et dans quel état surtout ? dans ces conditions, pourquoi ne pas opter pour la crémation ? peut-être moins écologique que l'enfouissement sous terre, mais un compromis ma foi acceptable, conviens-je avec eux, malgré ma peur innée des flammes, mais s'il faut en passer par là

— mettez les tourtereaux au four et… euh… à *broil* ! « car fort comme la mort est amour, inflexible comme enfer est jalousie, ses flammes sont des flammes ardentes, un coup de foudre sacré… » euh… voilà

— un sacré coup de foudre, ouais !

me susurres-tu à l'oreille interne pour m'amuser et surtout avoir le dernier mot comme une femme, mais plutôt que de m'en offusquer comme un viril, cette fois j'en ris aux larmes en attendant d'en mourir

5

L'embaumeuse

Le corps emballé d'un motocycliste l'attend sur sa table de travail. L'homme a percuté de plein fouet un muret de béton et a été projeté haut dans les airs avant de s'écraser contre un treillis métallique. D'après la force de l'impact, il filait à plus de deux cents kilomètres heure. Aucune trace de freinage, ni de dérapage. Pas de pluie torrentielle non plus, ni de brouillard, ni de courbe dangereuse pour écarter l'hypothèse du suicide, pour consoler la famille. Même les tests d'alcoolémie et de consommation de substances illicites sont négatifs. Le corps est resté accroché au grillage mais la tête, elle, a été retrouvée plusieurs mètres plus loin, gisant dans un fossé humide. Impossible de la retirer du casque, tant elle était enflée.

La famille souhaite une exposition à cercueil ouvert, l'a-t-on informée. Elle en a besoin pour faire ses adieux. Besoin de le voir complet une dernière fois, avec une tête solide sur les épaules, l'air serein et apaisé du fils comblé fauché trop jeune. Besoin de se remémorer en sa présence des jours heureux qui ont sûrement eu lieu, *car il y en a toujours !* tenteront de se convaincre les parents, quitte à en exagérer l'importance et la fréquence, quitte à en inventer de toutes pièces, s'il en manque pour combler le vide, pour ne pas donner prise aux images d'horreur qui s'imposeront d'elles-mêmes.

Même après des années de pratique, à en avoir vu dans tous les états et de toutes les couleurs, le déballage d'un nouveau corps demeure anxiogène. Celui-ci, particulièrement, lui procure à lui seul sa dose hebdomadaire d'adrénaline. La respiration courte, le pouls accéléré, la main tremblante, elle entreprend de descendre la fermeture éclair de l'enveloppe de plastique. À mi-chemin, elle s'arrête. Un léger tressaillement, qui naît à la base de l'échine, la traverse et la secoue de la tête aux pieds, telle une décharge électrique bienfaisante.

À gestes lents, elle écarte l'enveloppe et découvre le corps fracturé, disloqué, écorché de l'individu. La tête, coincée dans le casque de moto, a roulé vers le fond et gît entre les pieds nus du cadavre. Elle s'empresse d'enfiler à l'homme de longues chaussettes informes, comme celles qu'on porte à l'hôpital. Avec précaution, elle soulève la tête qui pèse le double de son poids normal, prend une profonde inspiration, compte un, deux, et à trois la retourne vers elle.

La masse informe, tuméfiée, violacée, a les yeux grands ouverts, quasi sortis de leurs orbites. Le regard vide et noir, rivé sur elle, donne froid dans le dos. Un regard qui lui semble familier, dont elle ne peut se détacher. Un regard qu'elle reconnaît tout à coup. Celui du tartarin ! Ce fils de médecin ! Un vrai vantard désagréable de la pire espèce. Un vicieux, un pervers, un sans scrupule. Elle pousse un cri, laisse tomber la tête. En s'écrasant par terre, elle fait un drôle de bruit. Celui d'un ballon rempli d'eau qui se fracasse contre un mur. La tête roule jusque sous sa table de travail et s'immobilise, en équilibre précaire sur le côté, les yeux tournés vers elle, pour la narguer.

Il a fallu qu'il aboutisse ici, dans son laboratoire ! Faut dire qu'il a juré de la retrouver et de lui faire payer en double les dettes laissées en plan par sa camée de mère, morte d'une *overdose*, par sa faute à *lui* ! Sa maudite faute de *pusher* prêt à tout pour vendre sa camelote. Pourquoi venir la relancer ici ? Ne lui a-t-il pas déjà tout pris ? Ne lui a-t-il pas suffisamment gâché la vie ? Lui et sa gang de petits merdeux qui distribuaient leurs cochonneries jusque dans les écoles et en profitaient pour recruter des filles comme elle, faciles à manipuler et à enrôler dans leur minable réseau de prostitution juvénile…

D'un coup sec, elle rabat le clapet de sa mémoire, refoule les souvenirs qui remontent à la surface. Pas question de patauger à nouveau avec lui dans les immondices. Il l'a suffisamment salie, souillée de son vivant. Elle s'en est sortie, péniblement peut-être, mais elle s'en est sortie, contrairement à lui qui, finalement, a frappé son mur. Cette fois, elle l'affrontera, ne s'en détournera pas, ne lui fera pas ce dernier cadeau de jouir de son pouvoir sur elle et de la dominer même une fois mort, décide-t-elle.

Encore faut-il qu'elle maîtrise sa peur, qui n'a plus de raison d'être. Mais elle en tremble, comme s'il pouvait la menacer ! Encore faut-il qu'elle passe par-dessus son dégoût et refrène ses haut-le-cœur. Encore faut-il qu'elle ne cède pas à cette envie de le projeter, d'un coup de pied, la tête la première dans la poubelle. Pour cela, il faudrait qu'elle lui ferme les yeux, qu'elle lui couse et lui colle les paupières, qu'elle le prive à tout jamais de ce regard noir et froid qu'il s'amusait à jeter sur ses victimes à demi consentantes. Car après avoir consommé, il fallait bien payer, rappelait-il, sans se soucier que ce n'était pas elle, mais son irresponsable et infantile de mère qui sniffait sa poudre blanche et se gavait de comprimés. Même gantée et distanciée par une seconde peau de caoutchouc, elle répugne encore à le toucher et le craint aussi. Comme s'il pouvait à nouveau la forcer, l'humilier, la souiller, la traîner dans la boue.

Des gouttes de sueur perlent sur son front. Lorsqu'elle les essuie, du revers de sa manche, elle surprend une lueur narquoise dans l'œil noir rivé sur elle.

— Vvvas-tu te dééé… cider à les fermer, tes crrrrrisses de yeux mmmmorts ? Vas… vas… vas-tu falloir qu'elle te les crèèè… ve avec ses… ses… ongles ? Vas-tu ffffal… loir qu'elle te les ar… rache et qu'elle t'é… t'é… t'ébbbborgne pour que tu… tu… tu la laisses tran… tranquille ? le menace-t-elle, hystérique, en empoignant un instrument à la pointe effilée.

Elle se ressaisit, à un cheveu du passage à l'acte, dépose l'outil quasi devenu arme entre ses mains, étonnée de ce reflux de violence. Elle se croyait mer morte et calme ! Elle recule d'un pas, sans pour autant quitter des yeux son bourreau qui savoure en silence sa victoire, mais pas pour longtemps, le prévient-elle. Car elle connaît un moyen infaillible de se couper de ses émotions lorsque celles-ci perturbent son travail professionnel. Il lui suffit de déclamer de mémoire les multiples composantes du corps, sur un ton lent et monocorde et par cadavre interposé, pour ne pas s'enfarger dans les mots. Pour le déshumaniser aussi, le ramener à son statut de contenant vide. Elle a développé cette technique qu'elle n'utilise qu'avec les corps dont l'âme la révulse. Pour oublier qu'ils en ont une, peut-être noire et souillée, peut-être mise en veilleuse depuis longtemps, mais n'empêche qu'ils ont besoin de ses bons soins pour couper le cordon et cesser de tourmenter leur prochain. Voilà pourquoi elle chosifie.

— L'os le plus long du corps est le fémur – il représente environ le quart de la taille de l'individu – le plus petit est l'étrier – pas plus gros qu'un grain de riz terré dans l'oreille interne – le visage contient environ soixante muscles – il en faut une vingtaine pour sourire – à partir de l'âge de vingt ans, l'homme perd environ un million de neurones par jour – les autres accumulent des déchets et perdent progressivement leur capacité de produire de nouvelles synapses…

Elle y est presque, à un cheveu de la chosification du cadavre, lorsqu'un message rentre sur son téléavertisseur, la déconcentre et la ramène au point de départ. On lui demande de venir, dès qu'elle le pourra, chercher le cadavre d'une vieille femme morte hier des suites d'un cancer. Tant qu'à devoir tout reprendre à zéro, aussi bien s'y rendre sur-le-champ. Le monstre esquisse un sourire vicieux et montre les crocs, prêt à mordre la main qu'elle tendra obligatoirement vers lui. Car avant de partir, il faudra bien qu'elle lui ramasse la boîte crânienne et qu'elle le touche ! se réjouit-il prématurément.

Elle prend une large serviette blanche, la déplie, l'étend à pleine grandeur par terre et, du bout du pied, fait rouler le casque de moto. Une fois dessus, et les yeux tournés vers le sol, elle en rabat les coins, soulève la boule informe, la fourre dans le frigo avec d'autres déchets humains. Au frais, elle prendra moins d'expansion. Il l'a déjà assez grosse et enflée comme ça ! ironise-t-elle à son tour, avant de sortir, soulagée de cette diversion qui l'oblige à reporter à plus tard une confrontation par ailleurs inévitable. Mais cette fois, elle en sortira gagnante, se jure-t-elle.

Un clochard, de taille imposante, sale et hirsute, roupille étendu de tout son long devant la porte de la morgue et en bloque l'accès. Elle s'en étonne, mais ne s'en effraie pas. Même lorsqu'il grogne et se dresse comme un ours bourru sur ses deux pattes pour l'impressionner. Peut-être a-t-il un proche qui repose à l'intérieur, qu'il refuse de quitter, suppute-t-elle. Elle l'enjambe, ouvre la porte toute grande et le laisse entrer. D'autres s'objecteraient, s'inquiéteraient ou refuseraient d'y pénétrer avec lui. Pas elle. Il y a longtemps que la marginalité ne l'effraie plus. Elle l'a côtoyée d'assez près pour l'avoir apprivoisée et ne plus avoir peur de son ombre. Qui n'en a pas? Suffit de baisser les yeux, humble, ou de se retourner pour l'apercevoir, collée aux talons, capable de se faire minuscule, quasi de disparaître, mais aussi de se projeter immense, plus grande que nature. Mais ce n'est jamais qu'une ombre!

L'homme se précipite sur la dépouille d'une vieille, le teint jauni et chétive. C'est elle qu'elle vient chercher. Pourtant cette femme-là n'a rien d'une itinérante, si elle se fie à l'état du cadavre et à l'adresse civile inscrite sur le certificat de décès. Mais à voir le désarroi du clochard, c'est évident qu'ils étaient liés. C'est évident aussi qu'ils n'étaient pas prêts à se séparer. Est-ce lui qui s'accroche à la vieille, ou elle qui le retient, qui refuse de couper le cordon qui la relie au monde terrestre, qui attache encore son homme? Peut-être les deux, craint-elle. Car ça lui compliquera la tâche. Quand l'âme résiste, le corps, lui, se crispe et absorbe mal les fluides. Les traits se figent, durs, tristes, aigris ou sévères avant qu'elle puisse imprimer au visage l'air pacifié de circonstance, qu'importe qu'il soit faux ou sincère, que le défunt ait été amer ou serein de son vivant, s'il en a l'apparence une fois couché dans son cercueil, réclament les proches.

Elle en a vu de tous les genres, dans sa jeune carrière, mais comme ceux-là, jamais. L'homme, étendu sur la dalle glacée, étreint la dépouille de la vieille et lui récite à l'oreille des strophes entières du *Cantique des Cantiques*!

— « Debout, toi, ma compagne, ma belle, et viens-t'en! Car voici que l'hiver passe; la pluie cesse, elle s'en va. On voit des fleurs dans le pays; la saison de la chanson arrive; et on entend dans notre pays la voix de la tourterelle. Le figuier mûrit son fruit vert et les ceps en bouton donnent leur senteur. Debout, toi, ma compagne, ma belle, et viens-t'en! Ma colombe au creux d'un rocher, au plus caché d'une falaise, fais-moi voir ton visage, fais-moi entendre ta voix; car ta voix est agréable, et ton visage est joli », déclame-t-il par cœur, suppliant et désespéré.

L'homme n'a pourtant rien du curé défroqué, ni du moine ascétique, ni du mystique exalté. Plutôt du genre terre à terre, bien qu'illuminé, et doté d'une sensualité animale qui transpire dans chacun des regards qu'il pose sur sa belle, dans chacune des paroles qu'il prononce. D'où lui vient donc cette connaissance biblique? Faut dire qu'elle-même peut en citer de longs extraits sans pour autant avoir vécu une vie monacale. Au contraire! Si elle les a mémorisés, c'est uniquement par goût et envie de provocation. C'est plus tard qu'elle en a découvert et apprécié la poésie. Adolescente, elle ne cherchait qu'à s'approprier le texte sacré pour le resservir hors contexte et en travestir le sens. Comme cette fois, où elle avait utilisé son talent de ventriloque pour faire rire aux dépens du professeur de morale en le faisant déclarer à son insu que la Bible faisait la promotion de la fellation! Allant jusqu'à citer, à preuve, ces versets particulièrement suggestifs: « Comme un pommier au milieu des arbres de la forêt, tel est mon chéri parmi les garçons. À son ombre, selon mon désir, je m'assieds; et son fruit est doux à mon palais. » Va de soi que son numéro avait créé tout un émoi et qu'elle s'était attiré les foudres du professeur, cramoisi de honte et de colère, tout comme celles du directeur qui l'avait menacée de renvoi, puis s'était ravisé après avoir tenté vainement de rejoindre sa camée de mère trop gelée pour répondre au téléphone ou retourner ses appels. N'empêche qu'à compter de ce jour, elle s'était mérité le respect des plus rebelles et des durs à cuire qui l'avaient prise sous leur aile, plutôt que de l'en écraser. Elle avait donc appris par cœur d'autres versets suggestifs de la Bible, et aussi des formules toutes faites tirées d'autres sources et prêtes à servir à toutes les sauces, question de fourbir ses armes et d'être vite sur la détente lorsqu'il urgeait de riposter ou d'attaquer. Il en allait en quelque sorte de sa survie. Sans épines ni griffes acérées, le premier venu n'en faisait qu'une bouchée. Son don de ventriloque et sa mémoire sont devenus ses moyens de défense, comme d'autres recourent à la menace, au chantage ou à la force brute. Chacun ses armes ! Cette fois, si elle en abuse, c'est pour apprivoiser l'homme.

— « Viens, mon chéri ; sortons à la campagne, passons la nuit au village. Là je te donnerai mes caresses. Les pommes d'amour donneront leur senteur ; et à nos ouvertures seront toutes sortes de fruits de choix ; nouveaux, anciens aussi, mon chéri, je les réserve pour toi », déclame-t-elle à son tour de mémoire, sans hésiter.

L'homme ne s'en surprend pas, ni de sa connaissance biblique, ni du fait que ses mots semblent sortir de la bouche pourtant fermée de la vieille. Comme s'il s'y attendait ! Comme s'il y croyait ! Elle ne le détrompe pas, profite de sa naïveté de clochard. L'impression étrange, toutefois, que la réplique lui a été soufflée par l'âme de la vieille qui rôde autour. Une impression, seulement.

Elle peut difficilement s'expliquer qu'elle ait invité l'homme à monter avec elle dans son fourgon. Encore moins à pénétrer à sa suite dans son laboratoire. Dans son antre d'embaumeuse. Rien ne l'interdit. Mais elle ne l'a jamais fait avant. Et lui n'a même pas eu à le demander. Il se serait contenté de rester couché à gémir comme un chien devant la porte. Mais elle l'a ouverte toute grande, et lui est entré, comme si ça allait de soi, sans s'en étonner ni s'en effrayer non plus. Et il y est encore, à roupiller dans son coin, pendant que la dépouille de la vieille absorbe ses fluides et travaille. Faut dire qu'à force de vivre dans la rue, il a sûrement vu et frôlé la mort de près à plus d'une reprise, sans artifices pour la masquer, sans apparat non plus pour la magnifier. Un phénomène naturel, inhérent à la condition humaine, la fin normale de tout un chacun, le simple arrêt des fonctions vitales. Peut-être a-t-il senti d'instinct que la vieille avait besoin qu'il y soit, à ses côtés, pour couper le fil ténu qui lie l'âme et le corps, pour s'envoler en paix. Chose certaine, il n'y est pas pour le spectacle, en quête de sensations fortes pour oublier la banalité de son quotidien, ou de faits inusités à croquer sur le vif pour impressionner la galerie et sortir de l'anonymat. Il y est par fidélité, par amour aussi, peut-être disproportionnés, peut-être extrêmes, mais qui est-elle pour en juger? Le fait d'assister à l'embaumement de la vieille l'aidera à faire son deuil, du moins l'espère-t-elle.

Impossible de nier, toutefois, qu'elle aussi en profite. Car sans son ronflement de clochard comme bruit de fond, sans l'éclipse de ce sourire qui lui tire les lèvres et découvre à l'occasion ses dents gâtées, sans l'imperceptible mouvement de ses bras croisés sur sa poitrine d'homme pour étreindre tendrement le souvenir de sa belle, jamais elle ne pourrait affronter le regard froid et vide du tartarin qui gît décapité sur sa table de travail, ni refréner cette envie irrépressible de lui crever ses yeux de mort lorsqu'elle découpe le casque de moto pour libérer la tête de son étau et la découvrir dans toute son horreur.

Pourtant, elle en a vu d'autres, de toutes les couleurs et dans tous les états, même en décomposition avancée. Jamais elle n'en a été révulsée. Jamais elle n'en a été dégoûtée. Le plus souvent émue, à l'occasion indifférente. Une fois seulement, elle n'a pas pu procéder à l'embaumement. C'était un enfant. Un tout petit enfant, mort écrasé dans les bras de son père après que l'autobus dans lequel ils prenaient place eut fait une embardée. Le petit corps bleu pendouillait, désarticulé. La paroi frontale était enfoncée. L'âme, légère et blanche, tournoyait et voletait en tous sens au-dessus de la minuscule dépouille. Une plume innocente, soufflée par le vent. Elle n'a pas pu.

Mais il en va autrement avec le tartarin. À cause de cette capacité qu'il a de pénétrer dans son cerveau, de faire de sa vie un cauchemar. Il a déjà fait ses preuves. Elle en a été marquée au fer rouge et en porte encore les cicatrices. Il avait un don pour marquer ses victimes, laisser ses traces indélébiles. Tout ça pour dire qu'il lui en faut, du courage, pour le toucher, pour le rafistoler, pour lui remettre une tête sur les épaules sans s'effrayer du regard noir et vide braqué sur elle. Mais étrangement, maintenant que le clochard y est, étendu à ses pieds comme un saint-bernard, le tartarin ne menace plus, ni ne ricane, et ses yeux de mort ne lancent plus d'éclairs.

Il lui faut de l'imagination aussi, pour lui refaire la boîte crânienne émiettée et difforme, pour lui redonner allure humaine. Faut dire qu'elle n'a pas son pareil pour reconstituer les casse-têtes, rafistoler et fignoler en utilisant ce qu'elle a sous la main, un morceau de tissu, un couvercle de plastique, un bouchon de liège, un bout de bois qu'il suffit de découper, de tailler, d'insérer, de coudre ou de coller. Le reste est une question de camouflage, de maquillage, et elle y excelle. Elle a développé jeune l'art de se composer des masques, de se créer des personnages aux traits durs et figés. Il le fallait pour se donner de la consistance, se démarquer, se protéger aussi. Sans maquillage, elle se décomposait, se fissurait, s'effondrait en ruine. Personne à présenter derrière.

Les proches du tartarin en ont pour leur argent et n'ont que des éloges pour son travail d'artiste qui leur permet de voir leur fils, leur neveu, leur ami (car il en avait !) l'air serein et pacifié pour une fois. Ils en avaient besoin pour se pardonner de l'avoir si mal aimé de son vivant et se raccrocher à cette idée que la mort l'a finalement libéré d'une souffrance qui le rongeait et dont il s'est trop longtemps soulagé à la manière masculine, en s'en prenant aux autres plutôt qu'à lui-même. Et si jamais ce prétendu suicide il l'a planifié, comme une ultime manœuvre pour venir la narguer, la menacer jusqu'ici, dans son laboratoire, son havre de paix, il est mort pour rien. Car cette fois, elle sort gagnante de l'affrontement, libérée non seulement de sa peur mais aussi de sa haine. Il est venu ici pour lui faire la guerre ; elle a fait la paix ! La sainte paix ! Grâce au clochard, à qui elle doit une fière chandelle. Comment l'en remercier à sa juste mesure, sinon en lui confiant les cendres de la vieille, comme à un époux légitime qu'il n'est peut-être pas, mais les proches y consentent. De toute façon, personne d'autre ne les réclame, ni ne s'en soucie.

Un peu plus, il en tombait à genoux, tant il est reconnaissant, tant il est heureux comme un Salomon d'avoir retrouvé sa Sulamite qu'il presse sur son cœur trop grand de clochard où elle occupe toute la place autrement vide à s'en désespérer de vivre. Avant de filer tel un voleur avec son trésor, il se courbe bien bas et l'en remercie, à sa façon personnelle décousue, déphasée et déjantée :

— Je vous sais gré… hum… princesse… un dieu ou l'autre vous le rendra… euh… j'imagine… au centuple, là j'exagère… en tout cas, mille mercis… vous êtes pleine de grâce… et vierge aussi… je présume… bof ! pas de mes affaires, j'en conviens… mais bénie, ça oui ! comme pas une… et le fruit de vos entrailles aussi… car le Seigneur est avec vous… et moi aussi, pauvre pécheur mort de fatigue… alors je tire ma révérence et… et… et je vous salue… hum… princesse, ça va ?… amen… euh… bonne nuit !

Un autre que lui, il y a longtemps qu'elle l'aurait rabroué, engueulé, estampé, mordu, griffé et saigné à blanc pour l'avoir appelée ainsi *princesse*. Faut dire qu'elle en a découvert le sens caché le jour de ses douze ans, quand sa camée de mère, transie en manque, a décidé qu'il était temps de consommer *aux frais de sa princesse*. Car elle l'était ! Et vierge aussi ! Et valait de ce fait plus que son pesant d'or, a-t-elle compris lorsqu'on l'a jetée dans les bras d'un *pusher* qui exigeait d'être payé nature. Après, il y en a eu d'autres pour l'appeler ainsi *princesse*. Toutes les femmes n'en rêvent-elles pas ? Et aussi d'être réveillées par un baiser de leur prince charmant ? Et de faire avec lui une vie de château ? se plaisaient-ils à dire, en négligeant de mentionner que leurs châteaux étaient des prisons, que sous les jupons des princesses ils cherchaient des courtisanes, que les crapauds ne se transformaient pas en prince charmant, plutôt en brutes et en bêtes, et que les rêves en couleurs viraient vite au cauchemar.

Le clochard ne sait évidemment rien de cette histoire. Ses propos lui ont probablement été inspirés par les allures de château faussement moyenâgeux du funérarium. D'autant plus qu'elle y réside, dans la tourelle de droite transformée en condo par le directeur qui aime que quelqu'un soit sur place en permanence. Mais ce n'est pas parce qu'on vit dans un château qu'on est une princesse ! hurlerait-elle à un autre que lui.

Le bâtiment était à l'origine une prison pour femmes condamnées et incarcérées le plus souvent pour vol, vagabondage, prostitution ou autres délits mineurs commis la plupart du temps pour assurer leur propre subsistance ou celle de leurs enfants. Il y en a eu, bien sûr, enfermées pour des crimes jugés majeurs. Comme cette jeune femme de dix-huit ans à peine qui a noyé, assassiné, son nouveau-né. Une petite fille, a-t-elle découvert en fouillant les archives. La jeune mère s'est paraît-il pendue dans la tourelle du château, celle-là même où elle demeure. La nuit, il lui arrive de l'entendre pleurer. De tout petits sanglots étouffés, prisonniers des murs de l'ancienne prison aujourd'hui transformée en funérarium.

Le directeur des lieux soupçonne plutôt le vent de se faufiler entre les interstices de pierre et de jouer au fantôme pour l'apeurer. Mais elle n'est pas effrayée ! Attristée, plutôt, démunie aussi, de se sentir impuissante à soulager cette âme inconsolable, condamnée à pleurer pour l'éternité. Il aurait fallu que quelqu'un la décroche avec douceur, que des mains douces l'apaisent, qu'une voix chaude la berce. Il aurait fallu que quelqu'un se recueille sur sa dépouille, la veille et la pleure pour lui redonner sa dignité de femme et de mère surtout. Son corps a probablement été décroché à gestes rudes, enveloppé à la hâte, sans un regard de compassion, puis jeté dans la fosse commune, sans pardon ni absolution pour lui permettre de s'élever en paix. Comme si cet infanticide, ce geste ignoble, elle ne l'avait pas commis pour épargner à sa fille la vie de misère qu'elle-même avait eue, contrainte de se vendre corps et âme pour survivre ! N'importe quelle mère aimante en aurait fait autant, aurait-elle voulu plaider pour sa défense. Elle-même n'a heureusement pas eu à prendre cette décision. L'enfant qu'elle portait à seize ans est sorti avant terme de lui-même de ses entrailles d'adolescente dont le fruit n'était nullement béni, comme l'a dit tantôt le clochard. Plutôt pourri et non viable. Semé de force dans son ventre par le tartarin qui aimait la labourer lui-même à l'occasion, et non seulement ses fournisseurs de dope. Comment, dans ces conditions, être insensible et sourde aux plaintes et aux lamentations de la jeune mère infanticide ? Comment ne pas sentir sur toute sa surface épidermique les frôlements en forme de courants d'air de cette âme en peine ?

6

Le loup-garou

Au Moyen Âge, il suffisait d'avoir la voix rauque et gutturale, les sourcils noirs et épais qui se rejoignaient au-dessus de l'arête du nez, les yeux trop perçants quasi phosphorescents qui brillaient dans la nuit, l'index de la main droite aussi long que le majeur, la pilosité abondante jusque sur le dessus des doigts, pour être jeté dans les flammes du bûcher ou encore écorché vif sans autre forme de procès comme l'ont été des dizaines de milliers d'hommes condamnés et exécutés sur la base des apparences pour des crimes féroces et sanguinaires généralement commis par des animaux porteurs de la rage, mais à l'occasion par des criminels qui usurpaient la personnalité et l'allure du loup pour terroriser l'entourage et commettre en toute impunité leurs délits et leurs meurtres crapuleux.

Je ne savais pas qu'il y en avait encore pour s'en effrayer et s'inquiéter de cette vieille habitude, héritée de mon loup de père, de gambader nu dans le sous-bois en hurlant tout mon soûl à la lune, lorsqu'elle se pointait pleine et blanche au-dessus des arbres pour se mirer dans le bassin d'eau froide et noire du lac où je plongeais pour en fracasser le reflet et l'éparpiller en mille gouttelettes argentées, je ne savais pas non plus que mon crime de parricide alimentait encore la rumeur et fertilisait à mon insu l'imagination populaire en manque de monstre à évoquer pour menacer les enfants qui refusaient d'aller au lit le soir, pour décourager les fillettes d'aller se promener dans le bois car le loup y était, pour justifier de débarquer chez moi en pleine nuit, armés jusqu'aux dents.

Ils m'ont découvert couché par terre, recroquevillé sous la peau de l'animal, à gémir et à glapir comme un louveteau en peine, terrassé par le poids de la solitude extrême qui m'était tombée dessus tel un coup de massue sur la tête qui m'avait laissé hébété, l'impression étrange d'être revenu quinze ans derrière, comme si toutes ces années s'étaient écoulées pour rien, du temps vide perdu à tourner en rond autour du même point mort, mais eux n'y étaient que pour m'appréhender et non me consoler, que pour confisquer ma chemise qui trempait dans une cuve d'eau froide étrangement rougeâtre et qu'ils ont fourrée dans un sac de plastique sans même la tordre pour la faire expertiser plus tard, que pour me passer les menottes, les bras dans le dos, m'intimer de les suivre, me piétiner, me bousculer, me tapocher pour m'encourager à me lever, que pour me pousser et me tirer jusqu'à la voiture et m'y jeter la tête la première contre la portière par ma faute, car ils étaient trois à pouvoir témoigner que je m'étais débattu, et me ramener au poste où un enquêteur prendrait la relève pour me tirer les vers du nez.

Ils me soupçonnaient du meurtre du tartarin porté disparu par son partenaire de chasse parti relever de son côté d'autres pièges tendus la veille, qui ne l'avait pas retrouvé à l'endroit convenu à son retour, seulement son appareil photo sophistiqué à la fine pointe qui valait trop cher pour qu'il l'ait oublié ou abandonné sur la vieille souche où il avait pourtant été découvert, seulement son fusil neuf avec son nom gravé en lettres d'or sur le canon qui gisait par terre, dissimulé sous un couvert de feuilles mortes, seulement le collet vide souillé de sang, mais aucune trace de l'homme qui n'était pas caché dans un fourré, ni derrière un arbre, une pierre ou un bosquet de quenouilles pour lui faire comme à son habitude une mauvaise blague douteuse, avait vérifié l'homme en parcourant le bois et les rives marécageuses des heures durant avant de se décider à rentrer bredouille, l'espoir naïf de retrouver son pote confortablement calé dans son fauteuil de cuir italien à siroter un verre de scotch fumé aux algues, à savourer un cigare rapporté de son dernier voyage à Cuba, mais il n'y était pas, non plus chez ses parents, ni chez ses amis, et ne répondait pas davantage aux messages vocaux ou écrits laissés par dizaines sur son nouveau téléphone intelligent dont il ne se départait jamais et toujours en fonction, question de pouvoir être joint à toute heure du jour ou de la nuit et de ne pas rater un bon coup, car il y en avait plus d'une à lui tourner autour, avait raconté le partenaire de chasse qui finalement s'était résolu à signaler la disparition du tartarin, tout comme à jeter un coup d'œil sur ses plus récentes photos pour m'y découvrir, capté en gros plan, l'air menaçant, le canon de mon arme braqué vers l'objectif!

— On dirait que t'es la dernière personne à l'avoir vu vivant, a insinué l'agent, peut-être as-tu ta petite idée sur les motifs de sa disparition? Et pourras-tu m'expliquer, du coup, comment cette peau de loup a abouti, fraîche et sanguinolente, sur ton beau plancher de bois franc?

Quoi répondre à ces questions qui n'en étaient pas? plutôt des accusations déguisées qui nécessitaient des aveux pour ne pas être gratuites, et bien que désireux de collaborer à faire la lumière sur cette histoire, de toute façon je n'avais rien à perdre ni à cacher, je peinais à organiser mes idées et à trouver mes mots, car dans ma tête le nuage de brouillard tardait à se dissiper et les images s'entremêlaient, se superposaient – celle du vieux loup gris et celle de mon animal de père confondues comme s'il ne s'agissait que d'une seule et unique histoire qui n'en finissait plus de se répéter – pour me laisser sous l'impression d'avoir ce soir-là abattu d'une balle en plein cœur mon loup-garou de père, chargé son corps mort sur mes épaules et porté sa dépouille jusqu'à la grosse pierre qui surplombait la rivière sise en amont où je l'avais déposée avant de l'écorcher sous la lumière blafarde de la lune qui tout à coup se pointait grosse, pleine et ronde dans la nuit blanche et se mirait dans le bassin d'eau froide et noire où j'avais plongé avec sa carcasse enserrée sur ma poitrine pour l'y abandonner une seconde fois à la force du courant qui l'avait aspirée, qui l'avait avalée, tout comme mon arme que j'avais balancée à bout de bras pour ne plus avoir à m'en servir contre lui, la prochaine fois qu'il me braquerait de ses iris jaunes pour me supplier de mettre un terme à sa chienne de vie.

L'agent me fixait, un sourcil relevé en accent circonflexe, l'air découragé et sceptique, en entendant cette histoire d'homme-loup qui ne tenait pas debout, peut-être l'avais-je inventée de toutes pièces pour semer le doute sur ma santé mentale et plaider plus tard l'aliénation ? mais peut-être aussi étais-je vraiment perturbé, malade et dangereux ? supputait-il en grattant la barbe drue et forte de son menton tout en se demandant comment formuler sa prochaine question pour me coincer, mais sa réflexion a été interrompue par son adjoint venu frapper à la porte pour lui transmettre une information cruciale pour l'avancement de l'enquête : les premiers examens de laboratoire prouvaient que le sang retrouvé en quantité sur mes vêtements ne provenait pas seulement d'un loup mais aussi d'un être humain, et ce n'était qu'une question de temps avant que les résultats des tests d'ADN révèlent l'identité de la victime, *car il y en a bel et bien une !* a gueulé l'agent en assénant un coup de poing carabiné sur la table qui nous séparait pour me faire sursauter et me secouer, tout en rappelant que les photos prises par le disparu m'incriminaient déjà et que, dans ces conditions, j'avais avantage à vider mon sac et à reconnaître ma culpabilité, car une attitude collaborative pourrait servir ma cause et réduire ma peine qui autrement risquait d'être maximale, compte tenu de mes antécédents qui jouaient en ma défaveur, a-t-il laissé planer comme une menace sournoise à peine voilée pour m'inciter à passer aux aveux, tout en jetant un regard en direction de l'horloge suspendue au mur derrière qui indiquait qu'il était l'heure de dîner, il en avait l'estomac dans les talons qui gargouillait pour le prouver.

— Alors, le sang sur ta veste, c'est celui du chasseur ? a-t-il répété, impatient, car je tardais à répondre, convaincu à l'avance que la vérité me serait à nouveau défavorable, et surtout, mon histoire jugée peu crédible.

— Non, ai-je dit, laconique, sans un mot de plus pour éclairer sa lanterne.

— Simonaque, me prends-tu pour un cave ? Y vient d'où, d'abord ?

— C'est le mien, ai-je dit à l'homme qui braquait sur moi des yeux ronds, fou furieux, convaincu que je tentais de le remplir comme une valise.

— Explique-moi ça, bonhomme…, a-t-il grommelé en serrant les poings et en s'efforçant de garder son calme.

Comment le convaincre que c'était la prétendue victime qui avait fait couler mon sang et non l'inverse? car après avoir abattu le loup pour abréger ses souffrances je m'étais affaissé sur la dépouille tiède, l'impression que mon monde s'écroulait une deuxième fois, sans plus de force non plus la volonté de m'en relever, et le tartarin en avait profité pour m'ouvrir le crâne d'une roche qu'il m'avait balancée direct sur l'occiput, j'en avais perdu la carte quelques minutes et lorsque j'avais rouvert les yeux, il me tenait en joue et menaçait de m'abattre d'une balle en plein front, car lui ne me raterait pas! m'avait-il averti, convaincu que je l'avais visé mais par mégarde atteint le loup, *alors tire!* avais-je dit, car je n'avais plus le cœur à vivre, mais au lieu de peser sur la détente, il s'essuyait le front dégoulinant tant il suintait et trépignait et enrageait de ma résignation qu'il croyait feinte pour laisser croire que je ne le prenais pas au sérieux, alors il s'était avancé jusqu'à appuyer la bouche de son canon sur mon front pour me terroriser, l'espoir de me voir trembler de peur, de m'entendre le supplier comme lui l'avait fait avant sous ma menace, mais je ne jouais pas et attendais patiemment qu'il passe enfin à l'acte, le privant ainsi de la jouissance de me voir ramper à ses pieds, vil et peureux comme lui tantôt, alors il enrageait et hurlait à qui mieux mieux: *Défends-toi, hostie! Essaie au moins de sauver ta peau! Ta peau,* man*!* mais je n'en voulais plus et la lui concédais sans condition, si ça pouvait faire son bonheur ça faisait aussi le mien d'en être débarrassé plutôt que d'y rester coincé à l'intérieur sans plus de cœur pour battre dedans maintenant que mon loup de père n'y était plus pour me darder de ses iris jaunes, mais lui ne voyait pas les choses de la même façon et se hérissait et enrageait de me voir soumis plutôt que combatif, soulagé plutôt qu'effrayé, à changer encore une fois les règles du jeu que je contrôlais, plutôt que lui qui n'en pouvait plus de perdre la face et se décomposait devant moi qui souriais à l'idée d'en finir et d'enfin rejoindre la meute: *Arrête de sourire!* avait-il ordonné, *Arrête!* avait-il hurlé en me balançant un coup de pied solide dans les côtes, *Tire!* avais-je répété sur un ton que je voulais détaché sans parvenir toutefois à refréner le sourire que j'avais fendu jusqu'aux oreilles et qui l'horripilait, *M'as te l'effacer à tout jamais de la face, ton crisse de sourire… m'as te l'éteindre pour de bon, ton hostie de face de lune… mon tabarnac! mon crisse de tabarnac!* avait-il gueulé, fou de rage.

— Et après? a demandé l'agent curieux d'entendre la suite.

— Après? Rien! ai-je dit, pour le décevoir et l'énerver aussi.

— Comment ça, rien? s'est-il irrité.

— Il a balancé l'arme, il s'est pris la tête à deux mains, et il s'est enfui en hurlant, terrorisé.

— Terrorisé! Peur de quoi? De qui?

— De lui! Qui d'autre?

— Hey, me prends-tu pour un cave? s'est exclamé l'agent.

— Il n'y avait que lui qui tenait l'arme, et moi, étendu par terre!

— OK, raconte-moi ça, mon gars! a-t-il dit après avoir respiré profondément par le nez et croisé les mains sur son abdomen.

Mais allez donc expliquer à quelqu'un qui veut des preuves tangibles et exige qu'on s'en tienne aux faits, que l'homme porté disparu, l'allure d'un dur à cuire, l'air au-dessus de ses affaires, était un lâche de la pire espèce qui crevait de peur et avait l'habitude de s'en prendre aux autres, les plus faibles surtout, qu'il écrasait sans gêne et sans remords pour se convaincre de sa supériorité et sauver la face, allez donc raconter que les fiers-à-bras qu'il payait le gros prix pour l'encenser, le défendre et protéger son ego trop gros soufflé à l'hélium n'y étaient pas, ce soir-là, et que dans ces conditions sa supériorité ne reposait que sur cette arme qu'il braquait sur moi qui l'avais menacé et aurais dû en trembler, mais plutôt, je le suppliais de tirer pour le priver de son illusion de toute-puissance !

— Et alors ? a demandé celui qui n'y comprenait rien à rien.

— Il a jeté son arme et s'est enfui.

— Il s'est enfui, comme ça ! C'est tordu pas pour rire, ton histoire ! Mais peut-être que quelqu'un courait derrière avec un fusil chargé ? est revenu à la charge le tenace.

— Je n'ai vu personne.

— Je parle de toi, innocent ! Fais-moi pas accroire que t'as pas ramassé l'arme pis que t'as pas essayé de le tuer ? Peut-être que tu l'as raté, aussi, ou seulement blessé ?

— Si je l'avais visé, je ne l'aurais pas manqué.

— Pourquoi tu l'as pas fait, d'abord, si c'est vrai comme tu le prétends qu'il t'a menacé ? T'aurais pu plaider la légitime défense… Tu pourrais d'ailleurs encore le faire…, a suggéré le vicieux pour me tendre un piège.

— À cause du loup.

— Ben oui, le loup ! a-t-il ironisé. Pourtant, sur les photos t'as bel et bien le doigt sur la détente et le canon pointé sur celui qui tenait l'appareil !

— Je ne le nie pas. Non plus que j'ai été à un cheveu de le tuer. Je l'aurais fait, si le loup ne m'avait pas supplié de faire preuve d'humanité et de l'abattre, lui, plutôt que le chasseur qui l'avait piégé.

— Wow ! Tu parles avec les loups, maintenant ! Et pourquoi donc ? a-t-il soupiré en se calant au fond de sa chaise, visiblement exaspéré et affamé.

— Pour ne pas déclencher une nouvelle flambée de violence ! Pour ne pas perpétuer le cycle de la haine ! Pour mourir en paix ! Il en avait assez d'avoir une horde de chasseurs à ses trousses et ne voulait pas avoir la mort de toute sa descendance sur la conscience.

— Simonaque, ça s'appelle se mettre dans la peau du loup ! Mettons que je te croie, explique-moi donc pourquoi t'as pas déposé de plainte contre lui, si c'est vrai qu'il t'a assommé et menacé de te tuer avant de déguerpir sans passer à l'acte ?

— Me plaindre de quoi ? Il n'était pas obligé de tirer ! ai-je rétorqué pour le convaincre cette fois que mon cas relevait de la psychiatrie plutôt que des instances judiciaires. Les résultats des analyses de laboratoire ont prouvé que le sang humain qui imbibait ma veste était bel et bien le mien et non celui du tartarin dont le corps avait été découvert, décapité, à la suite d'un accident de moto, sur le bord d'une route secondaire, sa tête gisant au fond d'un fossé humide, et non pas dans les eaux glacées du lac ou celles de la rivière où des plongeurs le cherchaient inutilement, mais l'enquêteur continuait de croire que ma confrontation avec la victime n'était pas fortuite ni innocente, comme je l'avais prétendu, plutôt planifiée et motivée par la vengeance, à cause de mes antécédents qui suggéraient un règlement de comptes, mais comment prouver mon rôle et contredire la thèse retenue du suicide ? a-t-il maugréé en me rendant à regret ma liberté à défaut de preuves pour me garder derrière les barreaux, en prison ou en psychiatrie, car il n'était pas dupe de mes eaux dormantes sous lesquelles il soupçonnait un volcan prêt à entrer en éruption et à déverser des torrents de lave et de rage, mais quand ? et sur qui ? s'inquiétait-il, convaincu que le temps lui donnerait raison et me ramènerait bientôt dans son bureau.

— Si je peux te donner un conseil, va donc te faire soigner. Ton père, lui, avait le prétexte d'avoir fait une couple d'AVC pour capoter sur les loups, pour capoter tout court, comme un animal enragé, mais toi, ça te vient d'où ? et ça te mènera où, tu penses ? a-t-il demandé en plongeant son regard droit et franc dans le mien pour m'ébranler et me faire douter une fois de plus de mon innocence.

7

cinq livres à peine ! dit l'embaumeuse

cinq livres à peine de cendres tiédasses faciles à transporter incognito dans une urne tapie au fond d'une poche, question de jouir en toute quiétude de ta présence discrète contre ma cuisse d'homme en émoi ! fait miroiter l'embaumeuse pour m'inciter à décoller de ton cercueil, car je m'agrippe pire qu'une sangsue indélogeable tant l'idée de te perdre m'est insupportable

faciles aussi à enlacer et exposer au vu et au su tel un trophée qui prouve hors de tout doute l'amour indéfectible d'un Salomon qui choisit la solution difficile de survivre à sa Sulamite plutôt que celle facile et usée d'en mourir à mon tour comme un égoïste préoccupé de ne pas en souffrir alors que ma place est ici, les pieds sur terre, fait valoir la jeunotte, sinon, qui y sera pour conserver ton souvenir frais en mémoire ? pour célébrer tes charmes désormais incorporels et intemporels ? pour te flatter, t'idolâtrer, témoigner de ton pouvoir de séduction ? et surtout, clamer haut et fort notre amour royal, notre lien indestructible et sacré, ajoute l'embaumeuse pour m'ébranler et toi aussi, étendue dans ton cercueil et sensible à l'idée de survivre encore quelque temps dans ma mémoire vive, d'occuper mon espace autrement vacant plutôt que de disparaître à tout jamais et sur-le-champ avec mon idiot qui a encore de bonnes années de souffrances et d'espoirs de s'en sortir devant, alors pourquoi précipiter ma fin qui viendra bien assez vite, soulèves-tu à ton tour pour me tenter d'abonder dans le même sens, d'autant plus que maintenant que j'y suis, devant la porte du four chauffé à blanc qui rugit, la proposition de l'embaumeuse ne me paraît pas si bête

mais encore faut-il que tu y restes, tel un génie bienveillant, enfermée dans ta bouteille pour me tenir compagnie, me murmurer des mots tendres et brûlants, et aussi me houspiller pour des peccadilles comme un vrai couple, question de m'aider à me détacher et à faire mon deuil ! car il faut que j'y trouve aussi mon compte et pas seulement toi, vieille folle, alors jure-le ! insiste mon Thomas, car je te soupçonne d'être de connivence avec l'embaumeuse et de projeter de couper court ton cordon pour t'envoler, libre et légère, et me planter là avec un tas de cendres grises, insignifiantes si tu n'y es plus, dans l'urne, pour les animer

— je te le jure, j'y resterai pour te faire souffrir comme un homme jusqu'à ce que tu me supplies de partir ! dis-tu, la voix moqueuse, à travers le couvercle de ton cercueil de bois

— et si l'envie me prend de bambocher avec les potes ? de disparaître un jour ou trois ou dix, parti sur la galère, la tête heureuse dans les nuages, tu l'accepteras ? je le demande sans arrière-pensées ni mauvaises intentions derrière la tête, seulement la perspective d'être attaché, la corde nouée serré au cou, privé de ma liberté d'errer, me terrorise davantage que celle d'être grillé de mon vivant, bien que l'idée ne me réjouisse pas outre mesure

— pauvre imbécile, crois-tu que j'ai besoin de t'attacher pour te garder ? que j'ai envie de t'avoir dans les jambes à longueur de journée ? je profiterai de tes absences pour reposer en paix !

déclares-tu, en empruntant la voix de l'embaumeuse pour faire valoir que je pourrai me flatter d'être le premier homme à pouvoir bambocher sans craindre que sa belle n'y soit plus à son retour, retournée chez sa mère avec les meubles et les enfants, ni redouter les coups, insultes, crises d'hystérie peut-être légitimes mais néanmoins insupportables, ni anticiper les reproches, suppliques ou larmes chaudes qui ciblent la corde sensible du mâle coupable de l'être ! que l'assurance tranquille de te retrouver là où je t'aurai déposée, accueillante à toute heure du jour et de la nuit, tant pis si je titube, déraille, pue le fond de tonne, l'urine ou le vomi, pour peu que je sois revenu t'étreindre, car désormais tu n'as plus d'espoirs de changer ton homme, non plus d'attentes irréalistes que je pourrais décevoir, pas même de rêves en couleurs que je pourrais teinter de noir

— pourquoi ne pas tenter le coup ? il sera toujours temps de t'immoler, si l'entente t'insatisfait et que l'envie te prend de me rejoindre, vieux fou !

me susurres-tu à l'oreille interne pour faire pencher la balance et me décider à sauter en bas du cercueil, heureux de m'en sortir à si bon compte, et surtout gagnant sur toute la ligne, car ce deuil je ne le ferai jamais ! je me le promets, crampé mort de rire, les larmes aux yeux, en fixant la porte épaisse de fonte derrière laquelle tu flambes, te carbonises, te consumes en cendres grises et volatiles

mais la réalité me rejoint vite et je déchante, car tes cendres ne sont pas encore refroidies que déjà tu rouspètes, fais des caprices de femme, t'indignes d'être déposée dans la large poche fourre-tout de ma redingote et d'y côtoyer un restant de sandwich de la veille que je refuse de jeter, le fait étant qu'il faut encore manger demain, ne t'en déplaise, la belle ! proteste mon prévoyant qui n'a pas l'habitude comme toi, gâtée pourrie de ton vivant, d'avoir toujours tout cuit dans le bec

— et les mégots éteints qui empestent le tabac bon marché ? et les capsules de bouteilles de bière ? et les bouchons de liège ? et ce vieux mouchoir sale ? et ce vieux condom ? tu les mangeras aussi, peut-être ? gueules-tu, du fond de ton urne, en exigeant d'en sortir sur-le-champ et d'être exposée au grand air, portée en évidence sur le bras comme une épouse légitime qui mérite le respect, plutôt que dissimulée comme une traînée dont on a honte

un autre que moi rechignerait, bougonnerait, râlerait comme un vrai mâle qui n'aime pas se faire faire la leçon par une femme, encore moins recevoir des ordres d'une vieille intransigeante qui n'a plus rien à offrir, sinon des restes et des cendres, mais tu m'as si bien emberlificoté dans tes jupons de ton vivant et fait de mon animal, hier rustre et sauvage, un agnelet doux et obéissant qui suit les ordres de sa bergère les yeux fermés au lieu de les ouvrir, de protester, de ruer dans les brancards et de prendre le large mais pour aller brouter où ? si tu n'y es plus pour me mener au pâturage, pour m'allécher de tes pacages ? alors cette fois encore j'acquiesce et me soumets à tes quatre volontés, bien que l'idée m'inquiète et que je préférerais te garder comme un secret au fond de ma poche peut-être sombre et sale mais autrement plus sécuritaire, sais-je d'expérience, car, contrairement à ma misère qui indiffère et passe inaperçue, ton exposition risque d'attirer l'attention et de soulever l'ire en rappelant à tout un chacun que la mort rôde ! mais je prêche dans le désert et ne réussis qu'à m'attirer les foudres de l'embaumeuse

— jus… tement ! y est tttemps de… de la sortir des cimmmm… metières ! c'est rrren… du, câ… câ… llllisse,

qu'on prend même… ppplus le temps de… de pleurer noooos… proches, tant ça ppresse de… de les en… terrer pis de les ou… ou… blier, mmmau… dite mar… marde!
enrage l'embaumeuse en assénant un coup de poing carabiné sur le comptoir devant elle pour couper court à la discussion avant de m'offrir gratis un socle sur lequel déposer ton urne, lorsque j'aurai besoin de mes deux mains pour demander l'aumône, boire ou manger, et me chasser, allez, oust! dehors! en promettant juré craché d'y être comme un ange gardien pour veiller sur nous, alors que c'est elle qui en aurait besoin d'un, si je peux me permettre une opinion

n'empêche que l'avenir me donne raison et qu'il y en a plus d'un à s'offusquer de te voir, juchée sur ton socle à mes pieds de mendiant qui tend sa paume et quête sa maigre pitance, à commencer par de simples quidams qui d'habitude m'ignorent, détournent la tête pour ne pas être perturbés par ma misère noire qui ternit leur monde en couleurs, mais aujourd'hui se troublent de ta présence qui freine leur élan tel un feu rouge inattendu qui rappelle que leur parcours tire à sa fin, faut voir les coups d'œil qu'ils te jettent de travers, leurs sourcils relevés en accent circonflexe, à s'interroger sur ta légitimité d'y être, exposée dans la rue parmi les vivants plutôt que terrée avec les morts, ou froncés de reproches, des rides plein le front, car il y en a qui me soupçonnent de t'utiliser comme un appât macabre pour attirer leur attention autrement déficiente sur mon cas des plus banals, sans parler des rictus qui s'affichent amers, des gorges qui se raclent d'envie de me cracher aux pieds, et ils le feraient, si tu n'y étais pas, réduite en cendres grises dans ton urne, pour imposer le respect même mes fidèles et généreux donateurs, habitués à mon numéro solo de quêteux, regimbent et s'offusquent de te voir juchée sur ton podium improvisé, et au lieu de plonger la main au fond de leur poche ou dans leur sac pour se délester en ma faveur de quelques pièces sonnantes qui les alourdissent, accélèrent le pas, passent leur chemin tout droit, fulminent, me fustigent de regards sombres de déception amère et de méfiance, ou changent carrément de trottoir pour ne pas avoir à me refuser leur aumône quotidienne dont ils me gratifiaient pourtant depuis des lustres, sans expliquer pourquoi à mon hurluberlu disgracié

— jugé indigne de manger et de vivre, peut-être ?

je le demande au premier du bord, un quinquagénaire joufflu et ventru qui presse le pas et se défile, l'air préoccupé par des affaires plus importantes qu'il urge de régler, en balançant sa mallette noire, alors j'en intercepte un autre, plus jeune, rivé à son bidule électronique, qui m'emboutit, sursaute, tourne les talons et rebrousse chemin plutôt que de m'affronter et de répondre à ma question pourtant légitime

— pourquoi me priver et m'affamer ?

peut-être que celui-là qui déambule, la tête plongée dans son journal, l'allure nonchalante du retraité qui s'ennuie et a du temps à perdre pourra me répondre, si je réussis à le freiner, car en me voyant il augmente sa cadence et regarde ailleurs, là où je ne suis pas, alors qu'hier il disait salut mon pote, qu'avant-hier il se délestait de quelques pièces en ma faveur, pourquoi donc à midi passer tout droit son chemin et m'ignorer ? pour le savoir je l'intercepte, le pousse au pied du mur, insiste pour en avoir le cœur net, mais voilà qu'il s'en inquiète et se débat, comme s'il ne me connaissait pas depuis belle lurette ! comme si je pouvais le menacer ! et m'insulte

— crisse de fou !

et me bouscule et me renverse et me piétine et déguerpit talons aux fesses lorsqu'un jeunot, pas même de barbe au menton, qui observait la scène de haut, juché tel un oiseau noir de malheur sur les remparts, en saute en battant des ailes pour l'effrayer, et me propose un *deal*, dix dollars payés *cash* pour ton urne, lui et ses potes qui bondissent à leur tour du mur de pierre en auraient besoin pour se compléter le décor gothique, et dix de plus si je déménage mes pénates ailleurs et libère la place alors que j'ai des droits acquis d'usufruit ! n'en déplaise aux jaloux qui lorgnent sur ce coin de rue et voudraient bien se l'approprier, mais pas question pour moi de décamper, ni pour vingt, ni cinquante, ni davantage ! regimbe mon hurluberlu et tant pis si j'en crève, dis-je en leur rendant la monnaie, car j'y suis attaché comme un vieux clou à sa planche, prêt à y rouiller sur place plutôt que de m'en extirper

mais je n'avais pas prévu qu'ils s'y mettraient à plusieurs pour m'arracher ou, à défaut d'y parvenir, pour me taper sur la tête de sans-génie, non plus qu'ils s'en prendraient à ton urne qu'ils reluquent sous tous les angles, quasi impudiques, tant leurs regards sont lubriques pendant qu'ils te scrutent devant comme derrière en te tapotant sans gêne du bout du doigt, il y en a même un pour proposer de regarder sous ton couvercle ! un autre qui veut sniffer ton odeur de cendres ! même un qui propose d'y glisser l'index pour te farfouiller les entrailles et après te goûter, question de s'assurer que ce sont bien tes restes de femme qui s'y trouvent et non de la poudre blanche qui vaut cher sur le marché, mais dans un cas comme dans l'autre ils te réclament comme un dû, arguant avoir le monopole de l'affichage du morbide et du commerce de la came sur ce territoire, et m'intiment de me tirer, de déguerpir au plus sacrant du coin mais sans ton urne, si je veux sauver ma peau, menacent-ils en resserrant leur cercle pour me coincer et me repousser dans mes derniers retranchements, dans l'ombre grise et discrète de ce muret où ils pourront me tapocher à leur guise sans témoin

— hey! lâchez-le, gang de caves!

hurles-tu, hystérique, du fond de ton urne pour étonner les jeunots qui échangent des coups d'œil inquiets, cherchent à droite, à gauche, mais il n'y a personne autour pour prendre ma défense, pas d'agents de la paix qui patrouillent dans le coin, ni d'énergumènes de mon genre fêlé pour se hérisser à ma place, non plus de travailleurs de rue ou de Don Quichotte pour s'interposer, seulement une femme inoffensive adossée à un lampadaire tout près qui ne lève même pas les yeux de son journal tant mon cas l'indiffère, croient-ils, alors ils reviennent à la charge

— le premier qui le touche, je lui crève les yeux et je le foudroie sur place! menaces-tu encore, d'une voix d'outre-tombe

comme par hasard, le ciel se déchire d'un éclair imprévisible et tonne assourdissant, bang! pour terroriser les gothiques qui se figent sur place, surpris par l'orage électrique

— filez, avant que je me déverse en trombes sur vos têtes de sépulcres blanchis!

hurles-tu en déclenchant cette fois une pluie battante, quasi un déluge tant ça tombe dru et subit, qui provoque la débandade, faut voir comment ça déguerpit, chacun pour soi, en quête d'un endroit où se mettre à l'abri de ta tempête de sorcière, la tête rentrée dans les épaules, le dos rond, la queue entre les jambes, de vraies poules mouillées qui courent en tous sens sous le regard amusé de l'embaumeuse qui rabaisse son journal pour profiter du spectacle, lève les yeux au ciel qui déjà se dégage, drôle de coïncidence, quand même! laisse-t-elle entendre en haussant les épaules et en m'adressant un clin d'œil complice avant de s'éloigner à son tour en sifflotant un air connu et en pataugeant exprès dans les flaques d'eau sans se soucier d'avoir les pieds mouillés jusqu'aux chevilles, sa façon, j'imagine, de montrer que tout ici-bas l'indiffère

même plus moyen de roupiller en paix dans mon conteneur, maintenant? bougonne mon ours mal léché réveillé abrupt par le tambourinement de doigts impatients sur les parois métalliques qui carillonnent pour me sortir de ma torpeur et aussi de mes gonds, va apprendre à ses dépens l'intrus, car je suis bourru mal engueulé et grognon lorsqu'on m'agresse de si bonne heure, mais l'impudent s'obstine à pianoter, alors tant pis, cette fois je rugis et surgis tel un diable de sa boîte à surprise, baguettes en l'air, yeux révulsés et prêt à mordre, mais je me calme aussitôt l'inhospitalier lorsque je découvre la jeunotte, accoutrée comme la chienne à Jacques, un sourire jaune et grimaçant dans la face

— princesse?.... euh... quel bon vent? dis-je

étonné qu'elle m'ait suivi jusqu'ici, dans mon cul-de-sac, et curieux de savoir ce qu'elle y fait, à cette heure indue, avec son attirail de vadrouilles, seaux et torchons, ses pinceaux et contenants de peinture, l'air décidé à me récurer, me revamper, me rénover et me réaménager de fond en comble l'intérieur, peut-être insalubre, malodorant et rebutant mais quand même douillet et confortable, dis-je en te prenant à témoin, mais la jeunotte prétend que même morte et réduite en cendres tu mérites mieux, et jure même que tu t'en es plainte ! à elle plutôt qu'à moi, par-dessus le marché ! pour me surprendre, car tu n'as jamais eu la langue dans ta poche, ni l'habitude d'en asticoter d'autres à ma place ! mais la menteuse objecte cette fois que tu voulais me ménager la susceptibilité à fleur de peau ! pour me donner l'envie d'en rire, car tu ne t'en es jamais souciée de ton vivant, encore moins de mes états d'âme qui n'ont jamais pesé pour grand-chose dans ta balance, pourquoi commencer une fois morte ? mais je me freine lorsque j'aperçois dans son regard noir de désespoir d'embaumeuse cette étrange lueur rouge de panique qui ressemble étrangement à celle qui l'éclairait lorsqu'elle m'a supplié, d'un coup d'œil qui démentait ses propos, de rester avec elle dans son laboratoire et de faire semblant de roupiller pendant qu'elle embaumait le cadavre décapité, mais aujourd'hui, de quoi et de qui a-t-elle peur ? elle ne le dit pas et je ne le demande pas non plus, question de ne pas l'enclencher et risquer de la voir dégénérer en terreur incontrôlable alors qu'elle fait son possible pour s'en détacher, pour l'oublier, pour s'en défendre, prête à faire le grand ménage de mon conteneur pourtant dégoûtant pour se chasser les idées noires

— alors, sans plus tarder, à l'ouvrage ! euh... cendrillon, dis-je en bondissant pour lui laisser le champ libre d'en faire ce qu'elle en veut

elle en soupire d'aise, saute à pieds joints dans mon conteneur, balance tout par-dessus bord, le bon grain comme l'ivraie, décide unilatéral comme s'il s'agissait de son bien plutôt que du mien, mais bof, plaide en sa faveur la vieille, si elle a besoin de décider et de se dépenser pour s'occuper l'esprit et oublier ses frayeurs, si ça la soulage de tout jeter, de repartir à neuf, le compteur à zéro, si ça la défoule de s'échiner sur tes sacs lourds et de les balancer, rageuse, des mètres plus loin, alors qu'elle pourrait se contenter de les laisser choir, pourquoi ne pas fermer les yeux et piquer un roupillon mérité? pendant qu'elle s'acharne et frotte et récure dans tous les racoins, sérieuse comme une papesse en fonction, le geste brusque déterminé, pas une tache de rouille ou de saleté qui lui résiste, pas une écaillure qui ne lève sous ses coups de grattoir, une vraie furie impétueuse, quasi une tornade dans mon conteneur qui ne se calme qu'une fois le travail de récurage et décapage accompli

— ne rrreste plus qu'à... qu'à pppein... turer! décrète-t-elle

car ça prend du jaune, ici, pour ensoleiller quand il ombrage ou noirceur de rage dehors, décide-t-elle, et là du bleu ciel pour rêvasser les yeux ouverts quand il grisaille ou mouillasse de tristesse à l'extérieur, et aussi du vert, oui, du vert forêt! pour espérer envers et contre tous, pour s'oxygéner l'intérieur, et pourquoi pas une touche de blanc? du blanc immaculé pour pacifier et oublier que ça s'ensanglante et s'éclate écarlate tout autour! quant à l'extérieur, elle a prévu le peindre en mon absence, alors va faire un tour, quêter ou bambocher avec tes potes si ça te chante, mais pas question de remettre les pieds ici avant la tombée de la nuit, compris? me chasse-t-elle comme une mouche importune, énervée comme si c'était Noël et qu'elle m'en préparait toute une

lorsque je reviens, les phares de son fourgon sont braqués sur mon conteneur et je t'y aperçois, appuyée sur le rebord d'une fenêtre qui n'y était pas tantôt, les épaules et les bras dénudés, un sourire coquin et prometteur aux lèvres pour me donner envie de te croquer la babille, de te dévorer la pommette rose appétissante, plus belle et plus vraie que nature, j'en perds les pédales et me précipite la tête la première pour t'embrasser, te dévorer, mais frappe un mur, m'écrase le nez en sang, m'affaisse sonné sur le cul sous le regard hébété de l'embaumeuse qui n'en revient pas que je sois tombé dans le panneau trompe-l'œil, elle s'en tape les cuisses, s'écroule à mes côtés, morte de rire, propose de pendre la crémaillère et de boire un coup à ta santé car tu resplendis, heureuse de ton nouveau décor et aussi de te voir si aguichante avec tes grands yeux gris cendre, tes cheveux blancs qui volent au vent, tes joues pleines et rosées, et cet air énigmatique de Joconde sereine et comblée

si l'embaumeuse et la vieille se félicitent du résultat et le clament haut et fort, tantôt en bégayant, tantôt en ventriloquant, de mon côté je m'en inquiète, car mon conteneur hier rouillé et indifférencié attire maintenant l'attention et risque d'indisposer les voisins qui me tolèrent dans leur fond de cour à condition d'y passer inaperçu, de me confondre avec les autres déchets qu'on met au chemin, en particulier le nouveau propriétaire du condo du deuxième, qui vient de me découvrir dans son fond de cour et examine, du haut de son balcon, notre installation qui laisse présager que j'y suis pour de bon et s'en trouble, à cause de la dévaluation probable de la valeur marchande de sa propriété payée le prix élevé du marché, et s'inquiète aussi de la sécurité de ses bambins qui n'ont pas l'habitude d'en côtoyer de mon genre itinérant, ni lui, si je me fie à la façon dont il me scrute, non plus de voir un fourgon mortuaire stationné de biais dans l'allée de gravier et une embaumeuse qui sort de la malle arrière une caisse pleine de bières, des chips et des bretzels en masse à grignoter, même un matelas douillet et un oreiller où déposer ma tête! prélevés hier dans un cercueil avec le consentement du mort qui ne voyait pas d'inconvénients à s'en départir avant d'être incinéré, et comme cerise sur son sundae, un sac de couchage momie rembourré de duvet qui garde au chaud à moins trente-cinq ! qu'elle me balance par la tête

pourquoi pas s'y installer à l'aise dans un coin et s'appuyer sur le tronc de cet arbre chétif qui manque de lumière, d'eau et de terre, et caler une bière ou deux en attendant que sèche la peinture ? propose la jeunotte qui en décapsule une première qu'elle me tend, une seconde qu'elle offre au proprio du deuxième qui nous observe, du haut de son balcon, les bras croisés, les traits sévères, qui s'en offense comme d'une provocation et claque la porte plutôt que de trinquer à la santé de la vieille, à la sienne, à la nôtre, à celle de nos amis, de nos ennemis, de tous ceux qu'on connaît ou ne connaît pas, à tout ce qui bouge et nous passe par la tête en se racontant des niaiseries, en riant de tout et de rien, même du proprio qui se pointe de nouveau, intime de modérer nos transports et de fermer nos grandes gueules, mais nous n'avons plus de limites non plus de fond et nous chantons, et nous dansons, et nous tanguons le pied marin d'eau douce pour finalement nous écrouler telles des chiffes molles, le cerveau imbibé à s'en tordre les méninges, du brouillard à couper au couteau devant les yeux, l'humeur guillerette qui vire tristounette lorsque le goût nous prend de patauger dans nos eaux troubles : les miennes, thermales et sulfureuses, me donnent envie de gravir ton mont emmyrrhé, ta colline encensée et d'y cueillir tes fruits de choix qui sentent bon la cannelle, le safran et l'aloès, de respirer à ton jardin, d'y plonger le nez dans tes baumes qui ruissellent, mais pourquoi donc m'en avoir privé si tôt ? pourquoi donc ? vas-tu le dire enfin ? vieille chipie, égoïste femelle, ma blanche colombe, ma plus que parfaite, ma tendre et douce

Sulamite, se lamente et gémit mon mâle dressé laissé en plan ; les siennes, saumâtres et vaseuses, sont habitées par un être monstrueux qui l'attire dans ses abysses, qui la parasite, qui menace de lui dévorer les entrailles, un vrai cauchemar dont elle émerge à chaque matin en nage…

laisse en suspens l'embaumeuse, en se reprochant d'en avoir déjà trop dit, avant de se secouer, de s'ébrouer, de se relever, de vaciller, de s'appuyer au tronc de l'arbre pour se dévider l'estomac à l'envers, et refluer une deuxième fois pour après s'en excuser comme d'une offense, mais bof ! dis-je en haussant les épaules, le ton indifférent en la regardant tituber jusqu'à son fourgon et démarrer, encore en trombe sur les chapeaux de roues qui crissent pour rien, comme si elle avait besoin de faire du tapage dehors pour ne pas entendre celui qui fait rage en dedans, pour me laisser enfin seul avec toi, ma vieille cendrée, tous deux pressés d'essayer notre nouveau nid douillet maintenant que la peinture est quasi sèche, mais à peine le temps de t'enserrer, de me recroqueviller en boule autour de ton urne, de poser sur l'oreiller ma tête grosse et lourde comme un bloc de béton, qu'une pluie inusitée de cailloux s'abat sur le couvercle imperméabilisé mais non insonorisé, puis-je constater en soulevant un coin pour surprendre le proprio du deuxième, frustré de sa nuit blanche, qui prend sa revanche et me balance la collection entière de roches que son fiston a mis des années à recueillir et qui sert enfin à quelque chose ! hurle-t-il en m'informant de son intention de contacter les forces de l'ordre qui se feront une joie de m'évincer de ce fond de ruelle où il projette d'aménager un coin jardin, d'installer une balançoire et, surtout, d'ériger un abri où ranger sa BMW en pension chez son beau-frère pour la protéger des intempéries et des aléas de la rue, alors prépare-toi à déménager tes pénates, mon gars, de gré ou de force…, laisse-t-il planer en espérant que ce sera suffisant pour m'effrayer et me décider à déguerpir de moi-même et lui éviter ainsi de se compromettre, mais il devra en prendre son parti et me supporter *ad vitam*, s'il n'ose pas me chasser, car je suis du genre fidèle accroché à ses pénates, entêté et sédentaire plutôt que nomade comme plusieurs tendent à le croire

8

La femme fatale

Allongée sur la table de travail, nue, jambes écartées, elle se contracte, tente d'expulser le fœtus qui lui gonfle l'abdomen distendu. Cet enfant, ce fruit pourri, elle n'en veut pas, elle n'en a jamais voulu. Mais il s'est accroché, a revendiqué le droit d'y être, de s'en nourrir, de lui labourer sans ménagement les entrailles. Tant pis si elle en souffre, tant pis si elle en meurt, si lui s'en sort vivant, a décidé le tortionnaire. Alors pour ne pas en crever avec lui coincé dans l'utérus, elle pousse, et pousse encore de toutes ses forces, se déchire, éjecte le parasite qui s'est trop longtemps nourri de sa chair et de son sang. Enfin libérée ! soupire-t-elle. Elle se redresse, jette un coup d'œil sur le corps étranger encore relié à son bas-ventre. La tête ensanglantée du tartarin, prisonnière du casque de moto, gît entre ses jambes. Elle ouvre la bouche, veut crier, mais aucun son n'en sort. La tête roule jusqu'à ses pieds, mâchoires béantes, dents acérées. Plutôt que de refermer ses crocs sur le cordon qui les attache encore l'un à l'autre, le tartarin les plante dans la chair tendre et dodue de son gros orteil qu'il croque, dévore et suce jusqu'à l'os pour lui prouver qu'elle est bel et bien morte, et non vivante comme elle le prétend pour avoir un avantage sur lui, ricane le vicieux. Elle tente de se dégager, de se relever, de lui échapper, mais elle est clouée sur place, inerte, froide, aphone aussi…

Elle s'éveille en sueur.

Depuis que les cendres du tartarin y sont, dans le colombarium, à l'intérieur des murs du Château, son refuge, son havre de paix, est redevenu prison d'où elle ne cherche qu'à s'échapper. À cause de ce regard vide et froid qu'il braque sur elle en permanence, qui la suit jusque derrière la porte de son laboratoire pour la narguer, pour perturber son travail d'embaumeuse. Même les corps ne se détendent plus aussi facilement entre ses mains. Ils se crispent, se rigidifient, n'absorbent plus aussi facilement les fluides. Les âmes ne flottent plus aussi paisiblement autour. Elles s'agitent, papillonnent, effarouchées, pressées de se détacher de leur corps terrestre. À cause aussi de cette capacité de pénétrer par effraction dans son cerveau et de la perturber jusque dans son sommeil. Ses rêves devenus cauchemars d'où elle émerge transie, hantée toute la journée par son film d'horreur.

Elle croyait pourtant lui avoir réglé son compte ! L'avoir privé de l'ultime satisfaction de la dominer même une fois mort ! S'être acquittée des dettes laissées en plan par sa camée de mère. Car elle l'a quand même embaumé, restauré, remodelé jusqu'à lui redonner allure humaine. L'allure seulement. Elle croyait lui avoir rivé son clou, tiré un trait épais et gras sur son passé mis en veilleuse ! À l'inverse, elle a sonné le glas de l'armistice, et lui, la reprise officielle des hostilités.

Son urne, au lieu d'être mise en terre, a été déposée dans le colombarium de la rotonde du Château, dans une niche en marbre blanc importé d'Italie. Il ne mérite pas d'y être ! Mais les parents fortunés ont mis le paquet, question de se faire pardonner leur négligence, leur inaptitude à le soulager de sa souffrance, leur incapacité à le rendre heureux, du temps de son vivant. Question aussi d'acheter la paix, la Sainte Paix, celle de l'esprit, celle qui n'a pas de prix, sauf lorsqu'on a, comme eux, les moyens d'en payer le coût élevé. Question enfin d'en réhabiliter le souvenir, de replacer haut dans l'échelle sociale ce fils déchu. Sur l'échelon prometteur d'où il n'aurait jamais dû descendre. Mais il a dégringolé bas, de son vivant, et en a entraîné d'autres avec lui. Ils auraient dû l'y laisser crever, au ras des pâquerettes, manger les pissenlits amers par la racine, se décomposer en humus fertile et contribuer, pour une fois, pour une crisse de fois ! à la perpétuation de la vie plutôt qu'à sa destruction. Ils ont préféré sauver les apparences et délier les cordons de leur bourse pour lui payer une place de choix centrale derrière la large baie vitrée qui s'incline en douceur pour offrir un point de vue optimal aux proches désireux de se recueillir sur les cendres du disparu.

Comment peut-il y être et prétendre reposer en paix dans une atmosphère contrôlée, chaude et feutrée, comme un vertueux aimé et regretté de tous ? Comment justifier la présence de cet imposteur, gracié, lavé, blanchi sans même avoir été jugé ? Alors que d'autres plus méritants sont mis en terre, vite oubliés ? Comme cette jeune mère, infanticide par compassion, qu'on a jetée telle une chienne dans une fosse commune, sans pitié ni pardon ni absolution pour son âme condamnée à errer éternellement en peine. Comme le cadavre de sa camée de mère, morte d'une *overdose* de *tout* et pas seulement de drogues, qui a été déposé dans un simple cercueil de carton et incinéré en vitesse, sans exposition, ni larmoiement, ni recueillement. Son urne mise en terre aux côtés d'inconnus dont elle partage depuis le triste lot. Enfouie dans un coin reculé du cimetière où il est bien sûr possible de se recueillir en toute tranquillité, à la condition de retrouver la pierre tombale, indifférenciée, interchangeable, comme elle-même l'était de son vivant, entre les bras de ses multiples amants de passage.

Que plus personne ne vienne affirmer devant elle que tous sont égaux devant la mort !

Ce soir, elle a décidé de prendre les grands moyens pour enlever à tout jamais l'envie au tartarin de s'incruster ici-bas et de fixer sur elle son regard de mort pour le seul plaisir de jouir encore de son pouvoir de mâle dominant. Elle va lui prouver qu'elle est de chair et vivante, contrairement à lui, réduit à l'état de cendres volatiles et impuissant. Il en crèvera de jalousie et coupera lui-même le cordon qui l'attache à ses entrailles de femme. Car elle lui en fera voir de toutes les couleurs et lui prouvera qu'il n'a plus d'emprise et qu'il ne sert à rien de rester, à errer et à lui tourner autour, refusant de déposer les armes et de déclarer forfait. Il devra comprendre qu'elle est détachée, libérée de lui à tout jamais.

Elle s'examine dans le miroir, vérifie son maquillage de femme fatale, ses yeux bridés félins, ses pommettes saillantes luisantes, ses lèvres rouges gourmandes. Elle a toujours excellé dans l'art de se composer des masques, mais depuis qu'elle restaure des cadavres, elle se surpasse ! constate-t-elle, satisfaite. Elle pivote sur elle-même, apprécie ses courbes mises en valeur par sa robe noire moulante, l'épaule ronde et dénudée du côté gauche sans manche, la fine bretelle du côté droit sur laquelle sont posées des plumes légères argentées. Ce soir, elle est prête à les déployer et à s'envoyer en l'air avec le premier qui lui soufflera sous l'aile.

Les têtes se tournent lorsqu'elle franchit la porte et les habitués s'étonnent de la voir s'exposer ainsi, provocante et aguichante. Elle feint l'indifférence et se dirige vers le bar, juchée sur des talons hauts inhabituels qui lui font une démarche instable, et aussi la jambe plus longue et plus mince. Elle a tiré profit des leçons de sa mère qui lui aura au moins montré comment mettre en valeur ses atouts féminins. Elle choisit un tabouret central bien en vue, plutôt que retiré dans un coin discret. Elle s'assoit de biais, plutôt que de dos, croise haut une jambe sur l'autre, expose ses cuisses blanches et fermes. D'un geste faussement innocent, elle relève ses cheveux, dégage son visage, sa nuque, son épaule ronde aussi. Elle commande un kir raffiné au lieu de la pinte de rousse pression habituelle. Le barman n'en croit pas ses yeux ni ses oreilles et lui reproche, mi-blagueur mi-sérieux, de ne pas lui avoir présenté plus tôt sa sœur jumelle.

— Nnnniai… seux ! dit-elle, sans pouvoir refréner un sourire de satisfaction, car elle se prend au jeu maintenant qu'elle a troqué son costume de cactus pour celui de femme fatale.

Si plusieurs la regardent et la détaillent, certains directement et sans gêne, d'autres furtivement et de biais, la plupart s'en détournent rapidement, sur leurs gardes. Elle en est à son troisième kir et pas un n'a encore tenté sa chance avec elle, tant sa réputation de qui s'y frotte s'y pique est établie. En d'autres temps, elle s'en réjouirait. Mais ce soir elle voudrait bien qu'un bel aventureux passe outre ses épines et se risque à tâter et goûter à son fruit défendu. Elle fixe la porte en espérant la voir s'ouvrir sur un nouveau venu. Pour mal faire, elle ne bée que sur la faune habituelle qui regarde son spectacle inusité mais s'en tient loin. Personne d'intéressé à en faire partie et prendre le risque d'être évincé de scène avant même d'avoir placé un mot. Dans ces conditions, vaut peut-être mieux aller chasser ailleurs, se résout-elle en réglant l'addition, prête à partir à la recherche d'un terrain vierge de ses traces.

— Je t'offre un autre kir ? propose un homme, debout derrière, qui pose une main chaude sur sa nuque et commande sans attendre sa réponse.

— Shhhit ! dit-elle en reconnaissant le cinéaste amateur.

— Je prends ça pour une invitation ? demande-t-il, sarcastique.

Pas facile à débobiner, celui-là, constate-t-elle. Un autre que lui, elle lui donnerait peut-être une seconde chance. Mais ce soir, elle n'a nullement envie de discuter cinéma, encore moins d'entendre parler de son projet saugrenu de filmer un embaumement en direct.

— Mau... maudit que... que ça tombe mmmal ! C'est l'heure de... de rrren... trer ! l'informe-t-elle en se dégageant d'un mouvement brusque.

— Pourquoi vouloir sortir, d'abord ? réplique-t-il du tac au tac.

L'homme l'empêche même de mettre son manteau, la tire par la manche, la contraint à se rasseoir, nullement effrayé à l'idée de s'y frotter et de s'y piquer, peut-être y prend-il goût ? Pourquoi alors s'être terré dans son coin ? Pourquoi avoir attendu qu'elle se lève, avant de se manifester ? Pour l'épier ? Elle a la désagréable impression de s'être fait piéger.

— Tu... tu perds ton tttemps ! le prévient-elle tout de go.

Car ce soir, elle n'est ici que pour séduire, que pour aguicher. Que pour prendre dans son filet un beau mâle vigoureux qui aura le goût de frétiller avec elle dans son lit. Elle cherche le poisson qui aura envie de barboter dans ses eaux troubles, de plonger en apnée dans son abysse, de venir mourir sur ses berges. Le tartarin en hurlera de rage, en crèvera de jalousie et en perdra à tout jamais l'envie de s'immiscer dans ses rêves. Au lieu de planter ses incisives dans ses extrémités dodues, il s'en servira pour trancher ce foutu cordon qui le relie encore au monde des vivants et ira brûler en enfer, comme il le mérite ! Voilà pourquoi elle est ici, ce soir, et non pour flirter avec un cinéaste amateur plus intéressé par son laboratoire et ses cadavres que par elle, conclut-elle en enfilant une manche de son manteau, déterminée cette fois à aller jeter sa ligne ailleurs.

— Ça, je suis le seul à pouvoir en juger ! déclare-t-il en prenant place à ses côtés, comme un imbu de sa personne.

— Ça t'in… t'in… téresse peut-être de bbbaiser avec une… une em… baumeuse qui bégggaye pis qui est bête comme comme sssses pieds ? le provoque-t-elle, directe et vulgaire exprès pour lui couper court l'envie de s'épancher.

— Ça m'intéresse de connaître la femme qui parle de l'âme comme d'autres de la pluie et du beau temps ! répond-il tout bonnement pour la déstabiliser, en faisant allusion à leur première rencontre.

Ça, c'est un coup bas qu'elle n'avait pas prévu et qui n'a rien à voir avec le jeu anodin et peu engageant qu'elle propose ! Elle parle de s'envoyer en l'air avec le premier venu, à condition qu'il soit en rut, qu'il ait des épaules larges, des muscles durs proéminents de boxeur pour faire chier le tartarin qui, lui, en était dépourvu mais le dissimulait sous d'épaisses vestes de cuir achetées à gros prix pour impressionner les filles qui autrement l'ignoraient, ou pire, le chassaient du revers de la main tel un insecte insignifiant et nuisible. Mais voilà que celui qui se pointe, avec sa belle gueule et des pectoraux saillants sous son t-shirt serré, change les règles du jeu futile des apparences et lui fonce droit au cœur, sans préparation ni préliminaires ! Elle en a les tempes qui bourdonnent et des sueurs froides dans le dos. Car en voulant parler de l'âme, il avance sur son terrain et menace du coup de mettre le pied sur une de ses mines antipersonnel, de faire voler en éclats son personnage de femme fatale, d'entailler son écorce de cactus, d'exposer au grand jour son vide intérieur, son cœur desséché pas plus gros qu'un noyau de pêche. La place depuis longtemps laissée vacante par son âme qui flotte quasi en permanence au-dessus de tout cela et répugne à réintégrer un corps qui l'a trop fait souffrir.

Mais comment se défiler et le rabrouer sans donner raison au tartarin qui observe la scène de haut et n'attend que cela, sa fuite, sa dérobade, pour célébrer sa victoire ? Pour conclure qu'elle est bel et bien morte avec lui, sous lui, à l'âge prématuré de quinze ans ? Un autre que le cinéaste, elle conclurait qu'il n'est qu'un beau parleur, un habile séducteur, et ne craindrait pas de s'exposer à nu. Mais d'instinct, elle sent qu'avec lui il n'en est rien, et que l'homme est sincère, donc dangereux. Quelle autre solution que de miser sur ses attributs féminins et d'en jouer, en espérant lui en faire perdre ses mots, l'envie de discuter et la tête au complet ? Car il a beau s'afficher plus attentionné et sensible que les hommes qu'elle a connus, dès qu'il aura goûté à sa chair tendre, il n'aura plus qu'une seule idée dans son cerveau de mâle en érection. Après, lorsqu'ils se seront envoyés haut dans les airs, et deux fois plutôt qu'une pour écœurer jusqu'à vomir le tartarin, elle redeviendra cactus et le piquera au vif pour lui enlever le goût de revenir sonder le tréfonds de son âme. Pourquoi ne pas poursuivre cette conversation passionnante dans un endroit plus tranquille, chez elle, par exemple ? suggère-t-elle, mielleuse exprès.

— Où ça, *chez elle* ? demande le cinéaste, intrigué de l'intrusion d'une troisième personne.

— Ben, au… au ffffu… néraaarium ! répond-elle en haussant les épaules comme si ça allait de soi, en le tirant ferme par le bras et en l'entraînant vite dehors avant qu'il ait l'idée de la questionner sur cette façon étrange qu'elle a de parler d'elle comme d'une étrangère.

Ça ne se passe pas comme prévu. Ils entament leur deuxième bouteille de vin et l'homme ne l'a pas encore touchée. Calé confortablement dans un fauteuil en face du sien, verre à la main, il parle et palabre, de tout et de rien, de la pluie et du beau temps, sans poser de questions, non plus attendre de commentaires de sa part, peut-être pour ne pas l'effaroucher, mais plus probablement par égocentrisme du mâle heureux de pouvoir se déverser dans une oreille féminine, se dit-elle en l'écoutant, désintéressée et distraite sans qu'il s'en rende compte. Puis il en vient à son enfance et raconte ses histoires de famille dont elle se fout comme de celles du quidam qui déambule sur le trottoir. Mais il poursuit son blabla tel un familier, un intime qu'il n'est pas et ne deviendra pas s'il ne passe pas aux actes. Car il n'est ici que pour la baiser ! a-t-elle envie de lui rappeler, tout à coup impatiente.

L'homme n'est pas pressé et aborde maintenant le thème ennuyeux du travail. Heureusement, il glisse vite sur le sujet et entreprend de lui confier ses rêves, ses désirs, ses désillusions aussi. Cette fois, il la capte, et la voilà malgré elle bercée par son flot incessant de paroles, par la sonorité de sa voix surtout, basse et chaude comme celle de ce chanteur, Bori, qui ne se produisait jamais à visage découvert, toujours à contre-jour, dans l'ombre des coulisses, ou derrière un paravent, et bien qu'elle n'eût jamais aperçu que sa silhouette, que son ombre chinoise, elle aurait fait des bassesses pour qu'il lui fredonne à l'oreille quelques strophes de son cru.

Lorsqu'il remarque que leurs verres sont vides, il s'interrompt, se lève, les remplit, se rassoit dans son fauteuil et la fixe, silencieux tout à coup. Elle s'attend à ce qu'il aborde la délicate question de ses amours passées, mais il n'en dit rien. Pas un seul petit mot, ni en bien ni en mal ! Ça l'intrigue et ça lui plaît aussi. Il ne la questionnera donc pas sur les siennes. Il avale une longue rasade, sans la quitter des yeux, nullement incommodé par le silence qui se prolonge. De toute évidence, il espère qu'elle baisse sa garde et se raconte à son tour. Elle n'en a pas l'intention, mais succombe sans trop savoir pourquoi à la tentation, tombe dans son piège et se livre, les yeux mi-clos, la tête lourde appuyée sur un coussin, engourdie par le vin.

Elle ne parle que de ses cadavres. Il n'y a qu'eux qui importent, qui la passionnent. Ces corps inoffensifs, réduits à leur plus simple expression. Des enveloppes de chair et d'os, des contenants sans états d'âme, sans attentes, sans exigences non plus. Ces corps nus et vulnérables qui se révèlent, indiscrets et impudiques entre ses mains de thanatologue. Suffit d'interpréter le grain, la texture et la couleur de la peau, de savoir lire dans les rides, les cicatrices, les affaissements, les creux et les raideurs, explique-t-elle. Suffit aussi d'examiner attentivement les organes ; le foie engorgé de celui qui se fait trop de bile, le cœur blessé et déchiré de qui l'a trop grand et sur la main, l'estomac ulcéré à force de tout avaler de travers sans regimber, les reins qui se font du sang d'encre et empoisonnent la vie, le côlon qui se torsade et éclate de peur contenue plutôt que de l'évacuer. Les corps en racontent long lorsqu'on prend le temps de s'y arrêter, de s'y pencher comme sur un parchemin pour en percer les mystères. Mais encore faut-il savoir lire entre les lignes et être attentif, les sens en alerte, le sixième surtout, car au-delà du corps, il y a l'âme qui a besoin de temps pour se détacher et s'élever en paix. Lorsqu'elle embaume, elle les aperçoit, en suspension au-dessus de leur enveloppe charnelle, elle sent leurs frôlements légers sur ses bras, sur sa tête aussi, elle entend leurs chuchotements, leurs plaintes…

Elle s'interrompt abruptement, éclate de rire, ramène ses cheveux devant son visage, gênée comme d'une confidence intime qui lui aurait échappé.

— On… on bbbaise? balbutie-t-elle, maladroite, en rougissant comme une idiote, non pas de sa proposition mais de ses confidences.

— Parle-moi encore de l'âme…

— Ça… ça… ça risque d'être d'être d'être llllllong, aaavec une… une… bbbèèè… gue! le prévient-elle en exagérant son problème d'élocution.

— Tu bégayais pas, tantôt…

Elle le dévisage, interloquée. Elle a déballé tout ça sans trébucher sur les mots et sans s'en rendre compte, comme une somnambule! Cet homme l'hypnotise, ouvre des brèches qu'il lui faut vite colmater avant de déborder, de s'écouler, de répandre son eau sale devant lui qui se déverse pur, clair et net. Un plan pour le dégoûter d'elle à tout jamais! Il lui faut vite reprendre le contrôle de la situation et imposer ses règles du jeu. Elle dépose son verre, se lève, se déhanche comme lui a appris à le faire sa camée de mère, va se poster derrière lui.

Il frémit.

Elle se penche, souffle sur sa nuque, lui mordille l'échine, le lobe de l'oreille, féline et femelle jusqu'au bout de ses ongles rapportés, un autre legs maternel.

Il soupire.

Elle se faufile sous son t-shirt, descend jusqu'à la poitrine, joue avec ses poils, titille ses mamelons d'homme.

Il gémit.

Mais lorsqu'elle veut s'aventurer plus bas, glisser la main sous sa ceinture, il la retient, prend ses doigts, les porte à ses lèvres, en embrasse le bout.

Cette fois, c'est elle qui frissonne. Personne ne l'a jamais fait.

— S'il te plaît, parle-moi de l'âme, souffle-t-il. Pis tant pis si tu bégayes. J'ai tout mon temps, ajoute-t-il en la tirant par le bras pour qu'elle s'assoie sur ses genoux.

L'âme ! Il faut avoir peur de la perdre, pour autant s'en inquiéter, songe-t-elle sans le dire. Elle en sait quelque chose ; la sienne n'est retenue que par un fil ténu, plutôt que d'être attachée solide, de ne faire qu'un avec le corps. Le plus souvent, elle flotte au-dessus, légère, à l'extérieur de ce corps trop étroit pour elle, inconfortable aussi. Un corps qui la réduit. C'est là, dans cette zone floue, à mi-chemin entre la vie et la mort, qu'elle croise les âmes en transit, qu'elle reçoit leurs confidences. Les collègues de travail à qui elle a osé en parler s'en sont généralement moqués. Certains ont expliqué le prétendu phénomène par sa capacité d'empathie. Il y en a même eu pour la déclarer folle à lier. Alors elle n'en parle plus, pour ne pas avoir à s'en défendre, ni à s'expliquer ou se justifier.

— Mon âme, je l'ai mise/dans le premier baiser/entière, et qu'ai-je à craindre/qu'elle coure l'aventure ? fredonne-t-elle sans bégayer, faussement légère et insouciante, pour clore à sa façon la discussion.

Elle plonge sur l'homme qui veut s'emparer de son âme, l'embrasse à pleine bouche, aspire la sienne. Il en perd le souffle, en oublie les questions qui lui brûlaient les lèvres, se jette à son tour sur elle, avide et gourmand. Enfin, soupire-t-elle.

Il la caresse, il l'embrasse, il la déshabille, il l'explore, il l'écarte, il la lèche, il prépare son entrée.

Elle gémit, elle soupire, elle halète, elle se tortille entre ses mains, comme elle a appris à le faire. Elle feint une jouissance qu'elle ne ressent pas.

L'homme s'arrête, se retire, la regarde droit dans les yeux. Il n'est pas dupe de son jeu. Pourtant, elle a l'expérience et en a trompé plus d'un avant lui.

— Qu'est-ce qu'il y a ? demande-t-il.

— Riiiien ! ment-elle en s'emparant de son sexe d'homme avant qu'il recommence à lui fouiller l'âme, plutôt que les entrailles, et qu'il débande.

— Arrête ! S'il te plaît, arrête. Je te touche, mais on dirait que t'es pas là…

Pourtant, il suffirait de peu pour qu'elle y soit, pleinement avec lui. Mais son âme hésite encore, résiste à l'appel du corps qui, autrefois, l'en a chassée, *pour se faire pierre et ne plus sentir que la caresse du vent, que celle de la pluie sur son corps étranger*, a-t-elle déjà écrit, adolescente. Il le fallait pour ne pas mourir sous les hommes qui s'étendaient sur elle, pendant que sa mère *sniffait* sa dope, sa crisse de dope ! Il lui fallait s'élever, planer en apesanteur au-dessus de tout cela. Le problème, aurait-elle voulu expliquer, c'est que le corps finit par ne plus rien ressentir, ni les coupures, ni les coups, ni les morsures, ni même les caresses. Le problème, c'est qu'avec le temps il devient de plus en plus difficile d'y revenir et d'y rester ancrée solide. Toujours l'envie d'en sortir, de s'évader, d'être là où il n'est pas. Pour ne plus souffrir. C'est pas difficile à comprendre, ça, il me semble ! Mais comment expliquer *tout cela* à un homme qui demande, le plus sérieusement du monde : parle-moi de l'âme ?

— Vvviens! soupire-t-elle.

— Reviens! supplie-t-il.

— On... on n'ira ppppas llloin comme ça! ironise-t-elle.

— Dis-moi où tu te trouves pis je vais aller te chercher.

— Cherche pppas pour... pour rrien! Elle est lllà, dans dans tttes bbras, niaiseux.

— Qui ça, *elle*? Pourquoi *elle*? Moi, c'est toi que je veux. *Toi!*

— C'est pa... pa... reil! proteste-t-elle, sur la défensive, plutôt que d'avouer qu'*elle* souffre moins lorsque *je* n'existe pas.

L'homme hésite, la scrute, attend une explication qui ne vient pas, soupire, s'éloigne, se relève.

— Je ne suis pas fait pour les relations à trois. Je suis trop... entier. Je m'excuse, dit-il en ramassant ses vêtements.

— C'est... c'est ça! Va-t'en donc, d'a... d'a... bord! Vvva tour... tourner tes mau... maudits fffilms plates! l'attaque-t-elle, pour s'en défendre.

— Je connais pas beaucoup de gars qui bandent devant un corps mort! Une embaumeuse, une bègue, passe encore, mais une morte vivante, je m'excuse, ça m'excite pas! Je ne suis pas assez tordu pour ça! déclare-t-il d'une traite.

— C'est ça! Sssacre ton... ton camp, hostie d'imppp... puissant!

Cette fois, elle a ciblé ses parties sensibles. L'homme claque la porte, la plante là, avec le tartarin crampé mort de rire. Un rire qui l'écorche, qui la déchire, qui la transperce de bord en bord. Un rire qui fait trembler ses murs, ébranle ses fondations. Un rire qui éclate comme une bombe dans son cerveau, qui réveille ses fantômes, ceux du château aussi, qui gémissent. Celui de la mère infanticide surtout, qui refuse d'y rester, coincée dans la tourelle, et qui hurle, qui la supplie de la sortir de cette prison.

9

Le loupiot

Si elle n'avait pas clamé à tout bout de champ que mon loup de père n'était pas mon géniteur, ni même un mâle reproducteur – seulement un animal de compagnie, le désir ardent insatiable, toujours prêt à la monter pour s'accoupler, la semence abondante mais de mauvaise qualité qui ne produisait rien, seulement un mâle pourvoyeur, une banque alimentaire chargée de subvenir à nos besoins –, jamais je ne l'aurais su, tant je lui ressemblais, une vraie copie conforme, si j'excluais la couleur des cheveux, car enfant les miens étaient pâles alors que les siens étaient noir charbon avant de blanchir d'un coup après qu'elle l'eut jeté comme un vêtement usé dont elle ne voulait plus, mais elle avait toujours invoqué l'effet de mimétisme lorsqu'on lui en faisait la remarque, alors que lui ne soulevait jamais la question, tant il la jugeait futile, tant pour lui les liens étaient affaire de tissage plutôt que de gènes, tant son attachement à la famille était indéfectible, contrairement à elle qui m'avait peut-être conçu, nourri de son sang, expulsé de ses entrailles mais quand même abandonné, laissé en plan avec cet homme dont elle avait pourtant réfuté la paternité !

Mais peut-être avait-elle inventé toute cette histoire de géniteur pour lui déchirer son cœur de loup trop grand, dans l'espoir de le détourner de moi, son loupiot, son fils chéri, plus précieux que la prunelle de ses yeux ? je la soupçonnais d'en avoir été capable pour l'accaparer en entier, car malgré moi je la privais de l'attention de son homme, qu'elle réclamait exclusive, et transformais son fougueux étalon en père attentif, tendre et aimant, mais pour le confirmer il aurait fallu un test d'ADN et lui n'en avait jamais voulu, n'y avait même jamais songé tant j'étais le fils qu'il avait désiré, alors pour l'en punir, la vicieuse avait refusé que je sois légalement adopté, le privant de droits légaux sur ma personne pour mieux le menacer, en toute légitimité, de briser notre clan lorsqu'elle voulait nous punir de l'exclure et nous contraindre à nous recentrer sur elle, seule et unique responsable de mon bien-être tant que je serais mineur ! avait-elle clamé à maintes reprises avant de décider de partir sur un coup de tête, trop pressée pour attendre ma majorité peut-être ? en oubliant ses devoirs maternels et aussi qu'il n'était pas légitimé de m'aimer et de me protéger comme un père, cela dit sans rancune, car si elle avait agi autrement, nous n'y aurions pas survécu, moi d'être privé de son cœur de loup, lui de mes glapissements et de mes jeux de loupiot.

Ces questions ne m'avaient jamais tourmenté avant ce jour et seraient sûrement restées sans réponse, refoulées avec d'autres dans mon cerveau, si je n'avais pas abattu et écorché le vieux loup gris, si ma belle Amérindienne ne m'avait pas débusqué dans ma tanière.

Elle est entrée comme une tornade sans se soucier de fracasser la porte contre le mur et s'est précipitée sur moi, étendu par terre, nu, sale et malodorant, recroquevillé en chien de fusil sous la peau du loup, et elle s'est accroupie à mon chevet, a soulevé ma tête, l'a déposée sur ses genoux et m'a caressé les cheveux en fredonnant un air envoûtant de son cru, sans rien demander, seulement raconter qu'il y en avait eu pour colporter jusqu'à la réserve que j'avais tué froidement un homme, telle une bête enragée, et même prétendre que je m'étais transformé en loup-garou, comme jadis mon animal de père, pour commettre en toute impunité mon crime sanguinaire, a-t-elle dit encore en glissant la paume de sa main dans la fourrure du loup.

— Je l'ai trouvé agonisant dans un piège, j'ai dû l'abattre, ai-je soufflé.

— Et le trappeur?

— Il est mort… mais je ne l'ai pas tué, ai-je précisé pour la rassurer, car elle n'aurait pas posé la question.

— Vous vous êtes battus? Tu l'as frappé?

— Non… il m'a assommé et quand j'ai repris conscience, il me tenait en joue.

— Il t'a blessé? s'est-elle inquiétée en jetant un coup d'œil sous la peau de l'animal.

— Non… il n'a pas voulu tirer.

— Voulu? s'est-elle étonnée.

— Je ne savais pas que je voulais mourir…

Elle m'a dévisagé de longues secondes, interloquée, le regard qui virait à l'orage, puis elle s'est ruée sur moi pour me frapper à coups de poings aux épaules, à la poitrine, au visage aussi, sans que je ne me débatte ni n'oppose de résistance, et une fois sa colère épuisée, elle s'est relevée, droite et fière, a posé ses mains sur ses hanches, a rejeté d'un mouvement de tête ses longs cheveux derrière, a hésité puis déclaré:

— Je suis enceinte!

Après, elle m'a planté là avec mon désir ridicule de mort alors qu'elle se préparait à donner la vie.

Le soir même, j'y étais, assis à ma table habituelle, au fond de la salle, pour la voir entrer en scène, le pas léger qui effleurait à peine le sol, élancée et cuivrée sous ses voiles légers de toutes les couleurs, pour entendre tinter les clochettes attachées à ses chevilles et ses bracelets lorsqu'elle levait les bras, paumes tournées vers le ciel pour m'émouvoir, lorsqu'elle secouait sa longue chevelure noire qui tombait librement dans son dos jusqu'aux reins et qu'elle exposait le faux diamant qui brillait dans son nombril, pour frissonner lorsqu'elle s'est juchée telle une madone sur son socle pour imposer d'un seul regard le silence complet aux clients les plus bavards qui aussitôt se sont tus, ont déposé leurs verres qui risquaient autrement de s'entrechoquer et ont tendu l'oreille attentive, car celle-là, il fallait l'*entendre* et non seulement la voir danser, sans musique qui jouait à tue-tête pour étourdir, distraire et assourdir, seulement le cliquetis de ses bijoux, seulement la mystérieuse litanie qu'elle psalmodiait, tantôt dite tantôt chantée dans sa langue étrangère, d'une voix sourde, rituelle et envoûtante, seulement le froissement léger de ses voiles blancs qui volaient, se soulevaient et tourbillonnaient telle une tempête de neige autour de son long corps doré, seulement leur bruit de flocons lorsqu'ils tombaient à ses pieds, s'amoncelaient, s'entortillaient autour de ses fines chevilles lorsqu'elle se déchaînait et les foulait sous le regard hébété et fasciné des hommes pris dans le tourbillon blanc de cette Shéhérazade, toujours mystérieuse et captivante après mille et une nuits.

Une fois dénudée et son numéro terminé, au lieu de ramasser ses voiles à la hâte et de s'empresser de quitter la salle, elle s'est figée, immobile, les bras ballants, la poitrine haletante, a regardé fixement ces hommes devant elle qui contemplaient avec ferveur son corps de bronze qui ruisselait comme celui d'une Vierge voluptueuse qui en imposait, et elle les a maintenus ainsi longtemps, dans un climat de tension charnelle et mystique à couper au couteau, à leur paroxysme, et lorsque finalement elle a ramassé ses voiles pour s'en recouvrir, il y en a eu pour se signer comme à la fin d'une messe, même à vouloir la gratifier d'aumônes généreuses lorsqu'elle est descendue de son socle, mais pas un pour oser la toucher, ni l'effleurer ni même la siffler pendant qu'elle circulait entre les tables, pour ne pas la souiller, pour ne pas rompre le charme, faut dire que ceux qui s'y étaient risqués l'avaient regretté, car ils avaient été une bonne dizaine, en manque de sacré, à se ruer pour protéger celle qu'ils vénéraient, m'avait raconté un jour le barman qui n'avait jamais vu avant un tel phénomène, même du temps où ma dévergondée de mère s'y trémoussait avec talent pour distraire les mineurs qui venaient y boire un coup afin d'oublier les longues heures passées à suer sous terre.

Rendue devant ma table, au lieu de s'asseoir sur la chaise libre à ma droite comme d'habitude, elle est demeurée debout à me regarder de haut, sur le pied de guerre.

— Je ne suis pas ta danseuse de mère ! a-t-elle déclaré.

Elle a dégluti, hésité puis ajouté :

— Je ne suis pas non plus cette fille, enceinte d'un autre, que t'as voulu épouser à quinze ans !

Elle a jeté un regard de biais vers la scène sur laquelle se dandinait une nouvelle recrue vêtue léger d'un costume de plumes blanches qu'on pouvait lui retirer une à une pour la modique somme de deux dollars l'unité sans que l'oie ne s'effarouche ni même ne caquette.

— Pourquoi t'es venu ici, dans ce village minier situé au bout du monde ? T'es pas mineur, me semble ? Pourquoi t'es resté, alors que tous les autres rêvent d'en sortir comme d'un trou, dès qu'ils auront ramassé assez d'argent pour se payer une grosse maison en ville ? Pourquoi tu t'accroches à moi, une Amérindienne qui danse dans un bar malfamé pour gagner sa vie et prétend être la réincarnation de Shéhérazade pour rester vivante ? Pourquoi ? m'a-t-elle demandé d'une traite sans reprendre son souffle, l'air d'en avoir gros sur le cœur et d'avoir préparé sa tirade de longue date.

— Viens t'installer chez moi ! ai-je proposé en guise de réponse.

— Non.

— Je construirai une maison plus grande, plus confortable aussi.

— Tu construis avec du bois mort. Je veux une maison verte et vivante qui ne flambera pas comme un fétu de paille à la première étincelle. Je veux un feu qui brûle et crépite de joie dans le foyer ; le tien couve, sournois et dévastateur. Je ne veux pas mourir dans tes vapeurs toxiques. Je ne veux pas être transformée en torche vivante et réduite en cendres grises avec toi. Va-t'en ! a-t-elle ordonné en tournant les talons, avec l'intention évidente de me plaquer là.

Je l'ai retenue par le poignet et j'ai soutenu son regard perçant, car elle me vrillait, fouillait dans les recoins de mon âme pour me mettre à nu, pendant que de mon côté je suais à grosses gouttes et cherchais sans trouver quoi dire pour ne pas la perdre.

— Je ne veux pas être entraînée dans ton cercle vicieux, a-t-elle dit à ma place. Pars, dénoue tes nœuds, règle tes comptes avec ton passé ! Après on verra, a-t-elle conclu en se dégageant d'un geste brusque.

— J'ai peur.

— De quoi ? De ce que tu vas trouver ?

— De te perdre ! ai-je avoué pour l'étonner.

— Je ne me sauverai pas ! Où veux-tu que j'aille ? Je suis coincée ici pour de bon ! a-t-elle déclaré en posant les mains sur son ventre à peine rebondi.

— S'il t'arrivait quelque chose ? ai-je soulevé, inquiet, car si la belle Shéhérazade en imposait sur scène, il en allait autrement de l'Amérindienne qu'elle redevenait dès qu'elle se départait de ses voiles et sortait d'ici.

— Qu'est-ce qui pourrait m'arriver de pire ? (a-t-elle rétorqué en jetant un coup d'œil autour) À moins que tu ne reviennes pas..., a-t-elle laissé planer, l'air de s'y attendre, la preuve que nous n'avions pas les mêmes expériences : elle, celle de l'abandon ; moi, de la perte.

Ma courailleuse de mère ne l'était plus depuis belle lurette, non plus danseuse, et n'avait plus remis les pieds dans ce village minier depuis qu'elle en était partie, peut-être enceinte, mais n'empêche qu'elle s'en était sortie ! se flattait celle qui vivait désormais dans un coquet appartement du centre-ville de la métropole avec un homme qui avait eu un enfant d'une précédente union et lui en avait fait deux depuis, ce qui leur en faisait trois au total, insistait-elle, car elle n'avait jamais soufflé mot de son passé et l'homme ignorait jusqu'à mon existence, a-t-elle avoué, mal à l'aise, assise sur le bout de son siège pour siroter le café allongé qu'elle avait commandé, rien d'autre merci, je ne resterai pas longtemps, avait-elle dit à la serveuse du petit restaurant au centre-ville où elle m'avait donné rendez-vous, en jetant des regards effarés de bête piégée autour tant elle craignait que je m'immisce dans sa vie dorénavant tranquille et rangée, tant elle craignait que je réclame mon droit d'exister, mais il y avait longtemps que je n'attendais plus rien d'elle et si j'avais parcouru plus de sept cents kilomètres pour venir la rencontrer ici, dans la métropole, c'était pour une tout autre raison, ai-je expliqué à mon tour en posant ma main sur son bras pour la contraindre à m'écouter et l'empêcher de se jeter sur son cellulaire qui tintait à tout bout de champ au fond de son sac de cuir rouge assorti à ses bottes.

À mon grand étonnement, elle ne s'est pas fait prier pour me parler de mon prétendu géniteur, ah, le Gabriel! l'a-t-elle identifié pour la première fois en soupirant, beau comme un ange aux yeux bleus, les cheveux blonds frisés, des poils doux et fins comme du duvet sur tout le corps, sauf qu'il n'était pas tombé du ciel, plutôt venu du Sud par avion, qu'il n'avait pas d'ailes dans le dos, plutôt les pieds solides sur terre, qu'il n'était pas sage comme une image, plutôt épicurien même sulfureux à ses heures, qu'il ne passait pas son temps à jouer de la harpe ou à végéter la tête dans les nuages, plutôt à bosser dans les profondeurs de la terre où il dirigeait et surveillait les mineurs qui y travaillaient sous ses ordres, car il était *foreman* et ingénieur! se vantait-elle, l'air d'en tirer du prestige, elle en avait encore les yeux qui brillaient de fierté et s'enorgueillissait de l'avoir séduit alors qu'elles étaient nombreuses à lui tourner autour, prêtes à ouvrir les cuisses pour se faire butiner par lui dans l'espoir de l'y coincer, mais c'était elle qui l'avait eu et pas une autre! ricanait la vulgaire qui ressortait sous la couche de vernis trop mince en toisant la jeune serveuse qui apportait l'addition, l'air de la narguer et de savourer encore sa victoire, mais le reflet de son image dans le miroir devant s'est chargé de lui rappeler que trente années s'étaient écoulées depuis et elle s'est affaissée, de nouveau grise et terne.

— Il faut que je rentre ! m'a-t-elle informé en ramassant précipitamment son sac.

Son mari et ses trois enfants l'attendaient, a-t-elle précisé, en négligeant exprès de m'inclure dans le décompte pour que je comprenne qu'elle m'avait biffé, tout comme mon illégitime de père dont elle n'avait pas prononcé le nom, pas même fait allusion à notre chapitre retranché pour de bon de son histoire, des années complètes jetées à la poubelle ! pas de réécriture ni même de recyclage possible, tant elle souhaitait nous effacer, mais si le Gabriel et elle étaient à ce point amoureux, pourquoi s'être quittés ? je le demandais, sceptique, en la contraignant à se rasseoir et en insistant pour qu'elle vide enfin son sac sans travestir ni déformer l'histoire à son avantage.

Et elle l'a fait, m'a tout raconté dans le détail, provocatrice exprès, l'air de dire : t'as voulu savoir, mon gars, maintenant assume ! comment le beau Gabriel avait eu ses faveurs gratis, contrairement à d'autres qui payaient le gros prix pour qu'elle danse à leur table, juchée sur ses talons hauts, encore plus cher pour la flairer, et davantage pour l'effleurer, dissimulés derrière le rideau noir et transparent de l'isoloir, mais le bel angelot, lui, avait obtenu et lui seul le droit exclusif d'en abuser à sa guise, sans limites ni condom, sur promesse de la ramener avec lui en ville à la première occasion et de lui faire une vie rêvée, des journées entières à se prélasser devant la télévision dans une belle maison de la banlieue, de la traiter aux petits oignons, de la gâter pourrie, de la couvrir de fleurs et de bijoux comme une reine du foyer, et le bellâtre harponné avait tout accepté de A à Z et même promis, juré craché, une union officielle devant l'Église, avec robe longue et blanche qui traîne derrière, et des témoins, des filles d'honneur, des alliances qui valent leur pesant d'or et tout le tralala ! mais il avait fallu qu'une partie de la structure de la mine s'effondre alors qu'il y était, à l'intérieur, et qu'une poutre lui tombe sur la tête pour l'amocher à tout jamais, le corps fonctionnel mais le cerveau amnésique et délirant au point de troquer son statut de *foreman* ingénieur contre celui de missionnaire prédicateur ! un vrai fou de Dieu qui s'était mis à apprendre la Bible par cœur, à en citer des extraits à tort et à travers, et avait finalement décidé d'aller prêcher la bonne nouvelle dans la rue, pendant qu'elle s'attelait à mettre le grappin sur mon loup de père qui en était à son tour tombé amoureux fou et l'avait ramenée avec lui dans son rang à la campagne plutôt qu'en ville, mais elle n'était plus en mesure de poser ses conditions maintenant que je germais dans son ventre, déjà que l'homme s'en réjouissait et était prêt à me reconnaître et à me traiter comme son fils légitime, n'avait-elle même pas eu à demander ! elle s'en étonnait encore, quant au bel angelot, plusieurs juraient l'avoir aperçu à mendier et à prêcher dans la capitale, peut-être y était-il encore ? à moins qu'il soit mort, depuis le temps ? peut-être aussi était-il tout simplement retourné finir ses jours dans ce maudit village minier, dans ce foutu trou perdu, où il l'espérait et rêvait d'elle, se plaisait à imaginer l'orgueilleuse.

— Il n'y est pas ! l'ai-je informée, pour la voir déconfite, le sourire tombant, la bouche grimaçante de déception, l'air inquiet aussi, à l'idée que j'en sache plus qu'elle n'en disait et cherche à la confondre, car elle avait l'habitude de mentir comme elle respirait, par nécessité.

— Qu'est-ce que t'en sais ? m'a-t-elle défié.

— J'y suis installé depuis quasi dix ans, dans ce maudit trou perdu, comme tu dis, et je n'en ai jamais entendu parler.

— Je te crois pas ! Qu'est-ce que tu y ferais ? Personne ne choisit de vivre là !

— Moi, oui ! J'y vis, depuis des années, dans une cabane de bois rond construite de mes propres mains, en plein cœur de la forêt boréale, parmi les moustiques, des milliards de moustiques qui piquent, qui sucent, qui mordent dans la chair même à travers les vêtements lorsque je piste les animaux sauvages, que j'observe leurs comportements, que je ramasse et examine leurs fèces, et j'ai bien l'intention d'y rester, tant qu'il y aura des lacs d'eau froide et noire où sautille la truite arc-en-ciel, des rivières tumultueuses grosses comme des fleuves et des fosses claires et limpides où frayent les saumons, des tourbières, des étangs, des marécages qui foisonnent d'orchidées, d'iris bleus, de plantes carnivores, de lichens, de plaquebières et de bleuets qu'on peut manger nature, en tarte ou en confitures, tant qu'il y aura des clairières giboyeuses où on peut observer l'orignal, l'ours noir, des fois le caribou et même le loup, si on est chanceux, et je l'ai été ! j'en ai vu le bout de la queue, j'ai même hurlé avec la meute ! mais j'ai bien sûr une autre raison, et principale, pour vouloir y rester, et c'est une femme, une belle Amérindienne née sur la réserve à quelques kilomètres au nord, la jeune vingtaine mais de l'expérience pour quarante, qui m'a capté dès qu'elle a mis le pied sur scène, celle-là même où tu dansais, tu te rappelles ? faut dire qu'elle a planté ses yeux dans les miens et ne les a plus détournés, et aussi qu'elle m'a choisi et moi seul pour mourir sur l'autel de sa chair, alors depuis j'y suis, assis à la même table pour la voir danser, avec le goût d'elle dans la bouche et au bout des doigts aussi, avec un cœur vivant qui bat et palpite dans la poitrine et l'envie d'y croire, de tourner la page sur mon passé trouble, de continuer mon histoire avec elle, ma belle

Amérindienne aujourd'hui enceinte, de moi ou d'un autre, elle ne l'a pas précisé et je ne l'ai pas demandé, de peur de l'outrager s'il est de moi, et je le crois sans preuve, mais surtout de la blesser et de l'écorcher si jamais il ne l'était pas, et l'obliger à s'inventer comme d'autres des scénarios farfelus à l'eau de rose pour ne pas mourir de honte !

Elle m'a dévisagé, sonnée, hébétée, a baissé les yeux, ramassé son sac et s'est levée, le geste lent d'une zombie, pâle et hagarde.

— M'man…

— M'man ? a-t-elle répété, surprise de me l'entendre dire.

— Pourquoi t'es pas revenue ? pourquoi t'as plus jamais donné de nouvelles ? j'avais neuf ans quand t'es partie, neuf ans !

— Maudit que tu lui ressembles ! a-t-elle dit, vite à retomber sur ses pattes, à retrouver sa contenance.

— À qui ?

— À ton malade de p… à l'hostie de fou qui t'a gardé… lui aussi aimait ça, prendre des claques sur la gueule.

— Pourquoi ? dis-le donc, une fois pour toutes !

— C'est clair, me semble ! a-t-elle répondu en tournant les talons et en déguerpissant vers la porte, le pas qui claquait fort sur le plancher de céramique, en jetant des coups d'œil furtifs derrière, l'air de craindre que je la suive et la menace ! mais de quoi au juste ? sinon de la refléter comme un miroir grossissant et déformant dans lequel elle refusait de se regarder pour ne pas se voir sous son vrai jour.

J'ai bondi de ma chaise, l'ai rattrapée alors qu'elle s'apprêtait à franchir la porte et je l'ai plaquée contre le mur pour la forcer à me regarder en face avant de répéter ma question : pourquoi ? en la tenant par les épaules et en la secouant, parce qu'elle en riait, parce qu'elle s'en moquait, parce qu'elle répétait que j'étais aussi fou que lui, qui enrageait et montrait les crocs lorsqu'elle tentait de s'en détacher, un animal sauvage qui la harcelait et la provoquait jusqu'à ce qu'elle se décide à mordre, griffer, frapper, car après, elle n'avait plus la force ni le désir de partir, seulement l'envie de tomber dans ses bras velus et de se laisser aimer à l'excès comme une louve par son mâle alpha, mais il ne l'était plus après cette attaque qui l'avait laissé diminué, ni en mesure de la retenir, non plus de la combler comme une femme, dans ces conditions, pourquoi et pour qui serait-elle restée ?

— Pour moi !

— Toi ? Tu pesais pour rien dans ma balance ! C'est ça que tu veux entendre ? Je ne t'ai jamais voulu ! Jamais ! C'est clair ? Lâche-moi, maintenant ! a-t-elle ordonné en se débattant, effrayée. C'est toi qui as voulu savoir… Au secours ! a-t-elle crié, lorsque j'ai posé ma main sur sa gorge.

Ils s'y sont mis à deux pour m'obliger à desserrer mon étreinte, pour la libérer, pour me tordre un bras dans le dos, pour m'écraser face contre le mur alors que je n'opposais pas de résistance, pendant qu'un troisième exhortait ma dénaturée de mère qui se tâtait le cou à composer le 911, mais elle refusait net, prétextait qu'il ne s'agissait que d'une mauvaise blague de son taré de fils qui n'avait pas toute sa tête à lui mais n'était pas méchant pour deux sous, et les sommait de me libérer en les menaçant de porter plainte contre eux plutôt que contre moi s'ils ne s'exécutaient pas sur-le-champ, et après qu'ils l'eurent fait, elle a ramassé son sac tombé par terre et s'est précipitée dehors en engueulant comme du poisson pourri le Don Quichotte qui pitonnait à sa place alors qu'elle ne songeait qu'à disparaître avant que les policiers débarquent pour l'obliger à décliner son identité et à étaler notre triste histoire sur la place publique, un plan pour compromettre sa vie familiale tranquille et son avenir qui reposaient, comme tout le reste d'ailleurs, sur un socle fragile de mensonges, j'en étais d'ailleurs le fruit pourri et aussi la preuve vivante.

Les hommes qui me retenaient m'ont finalement relâché et m'ont jeté à la rue comme un déchet dont ils ne voulaient plus dans leur établissement propret et sans histoire, en m'intimant de filer avant que les forces de l'ordre se pointent, car les faits plaidaient en ma défaveur et il n'y en aurait pas pour témoigner que mes intentions n'étaient pas de la tuer, seulement de toucher cette veine bleue qui se gonflait et palpitait dans son cou pour prouver qu'elle avait un cœur qui battait dans la poitrine et qu'elle était bel et bien humaine, et vivante aussi.

10

là, là, princesse ! dit le clochard

quelle mouche l'a donc piquée, celle-là ? pour qu'elle débarque encore ici en catastrophe, sans invitation ni rendez-vous fixé d'avance, me semble, et sous quels prétextes, cette fois, stationner son fourgon de travers et empiéter sur le trottoir ? dans une zone interdite en plus, comme si elle le faisait exprès pour attirer l'attention et perturber autour, affublée d'une robe qui lui colle au corps comme une seconde peau noire et luisante sous la lumière blafarde du lampadaire qui se jette sur elle sans gêne et la découpe, tout à coup plus femme qu'embaumeuse, échevelée et hébétée, frémissante et frissonnante comme une belle feuille dentelée fraîchement sortie de sa gaine, mais le pétiole trop mince et fragile qui menace de lâcher et elle, de tomber, soufflée

et pourquoi exhiber un litre de vin rouge pour me tenter et se justifier d'y être ? comme si elle craignait autrement d'être virée ! comme si elle ne valait pas à elle seule davantage que cette bouteille aux courbes autrement moins appétissantes ! ne puis-je m'empêcher de fantasmer en glissant mon bras viril sous le sien pour l'entraîner ailleurs, sous prétexte de ne pas provoquer davantage les voisins et m'éviter des emmerdes, mais la sarcastique s'en moque, peut-être aussi les recherche-t-elle ? et ne se formalise pas de détonner dans mon décor, telle une œuvre d'art mise aux ordures, contrairement à moi qui m'en trouble et préfère éloigner sa tentation, faut dire que je suis affamé, que son menu est appétissant et que ma chair est faible

pourquoi ne pas aller déambuler dans des rues plus éclairées encore achalandées à cette heure tardive ? que je lui suggère en feignant avoir envie de côtoyer les piliers de bars déprimants qui entrent s'y griser pour après en ressortir l'œil terne et vitreux, la moue déçue et l'âme en peine, et sans attendre sa réponse, je m'élance à grands pas, la mine faussement réjouie mais les mains enfouies au fond des poches pour y caresser en paix ton urne du bout des doigts en attendant que passe l'envie de les poser sur la peau trop blanche, trop lisse, trop ferme de la jeunotte qui, ce soir, dégage autre chose que le formaldéhyde pour me troubler, et j'ai beau lever le nez en l'air et respirer à grands coups l'air frais, les narines ouvertes tels des évents pour me calmer l'étalon facile à emballer, rien n'y fait, elle m'embaume et me soulève des envies d'homme de son âge alors que je pourrais être son père, quasi son grand-père ! sans compter qu'elle n'en a rien à foutre d'une bête hirsute malodorante de mon genre, me rappelles-tu, vieille jalouse, lorsque je sors ton urne et la presse contre ma poitrine, pour me freiner les ardeurs avant que je prenne le mors aux dents, heureusement que tu y es comme une épouse légitime pour me tenir les cordeaux serrés, me mettre des œillères et m'intimer de regarder droit devant plutôt qu'à gauche où la jeunotte vacille, juchée sur ses talons trop hauts, tout en calant au goulot une bouteille de vin qu'elle me propose de partager, mais je refuse, question de ne pas affaiblir davantage mes facultés, de ne pas perdre la tête, le nord et la boussole aussi, car j'ai besoin des trois pour garder le cap avec elle qui tangue et dérive et ne sait plus où elle en est, ni où elle va, si je me fie aux soupirs à fendre l'âme qu'elle laisse échapper, lorsqu'elle s'agrippe à la manche de ma redingote, j'en ai les coutures qui craquent et risquent de céder tant elle pèse de son poids mort

il faudrait qu'elle jette du lest, qu'elle se décharge avant de couler à pic, et aussi qu'elle se déniche au plus sacrant une bouée plus sécuritaire et adaptée qu'un sans-abri de mon genre qui n'a rien à offrir, qui divague la plupart du temps à contre-courant, qui se dégonfle lorsque le vent se lève et que la vague menace, elle devrait le comprendre et s'accrocher ailleurs, mais où ? sinon à ton urne, comme à une mère affectueuse dont elle a peut-être besoin pour ne pas se noyer, je l'intuitionne en lui tendant tes cendres qu'elle enserre et presse aussitôt sur sa poitrine qui se soulève, émue, avant de se précipiter contre la mienne et d'éclater en sanglots libérateurs

— là, là, princesse ! dis-je en lui tapotant le dos, paternel et sans arrière-pensée cette fois pendant qu'elle parle du monstre attaché à ses entrailles de femme qui la tire vers les bas-fonds la nuit, et même le jour maintenant, pour faire de sa vie un vrai cauchemar dont elle ne sait plus comment se sortir

il lui faudrait, comme dans les contes de fées, séduire un preux chevalier, mais combatif plutôt que servant, un prince armé jusqu'aux dents plutôt que charmant, l'armure d'acier et la couenne dure mais le cœur tendre et saignant, pour escalader sans vertige ses parois rocheuses, pour franchir sans y laisser sa peau ses remparts hérissés de tessons, pour enjamber sans se blesser ses barbelés, pour la sortir de force de sa tour d'ivoire et trancher d'un coup d'épée ce foutu lien qui l'attache au monstre ! tente-t-elle de blaguer en s'épanchant sur ma vareuse mais pourquoi ne le coupe-t-elle pas elle-même, ce sacré cordon? car il a bien deux bouts, me semble, et elle en détient un! pourquoi ne pas le sectionner et s'en libérer? je me le demande mais ne pose pas la question, de peur de déclencher un raz de marée cette fois, d'être emporté avec sa vague dévastatrice, tant je suis faible et dépourvu devant des larmes de femme, dans ces conditions, pourquoi risquer d'ouvrir toutes grandes ses vannes et de me noyer avec elle?

une fois tarie à sec, elle renifle un bon coup, le cœur encore gros, essuie le surplus dans un repli de ma vareuse, se détache à regret de ma poitrine peut-être sale mais confortable de clochard, soupire et me rend ton urne, l'air de vouloir la conserver

— bof! dis-je en regardant ailleurs et en enfonçant les mains dans mes poches comme un viril au-dessus de mes affaires qui maîtrise la situation et aussi mes émotions pourtant à fleur de peau

— y... y fffaut rrre... tourner au fu... funéra... rium! bégaye-t-elle

— justement!... euh... nous y allions, pas vrai, Sulamite?

dis-je en te prenant exprès à témoin, avant de saisir sa menotte d'embaumeuse qui disparaît dans ma patte d'ours, de l'emmener jusqu'à son fourgon, d'y monter avec elle et de l'accompagner jusque devant la porte de sa prison qu'elle hésite pourtant à franchir, comme une prisonnière qui craindrait de ne plus en ressortir, alors qu'elle en détient les clés! et est libre d'y entrer et d'en sortir à sa guise! je le lui rappelle tout en lui jurant d'y rester toute la nuit, couché comme un chien de garde gros et méchant sous sa fenêtre, prêt à dévorer tout cru le premier à tenter de monter à sa vigne, et bien qu'elle proteste pour la forme en me rendant cette fois ton urne, je passe outre et m'étends de tout mon long sur la pelouse sans pissenlits, en promettant de garder l'œil ouvert, mais à peine a-t-elle éteint la lumière de sa chambre que je tombe aussitôt dans les limbes du sommeil réparateur

— debout!

ordonne le gardien des lieux qui me découvre à roupiller tel un bienheureux qui n'a rien à se reprocher, sinon de manquer de vigilance, mais l'homme qui voit les choses autrement me braque sa lampe de poche direct dans les yeux et m'enfonce le bout de son pied dans les côtes, en me questionnant sur la provenance de ton urne que je n'ai pas trouvée dans la rue, quand même! alors où? insiste-t-il en me soupçonnant de t'avoir dérobée dans le cimetière derrière qui a été pillé vandalisé la veille, m'informe-t-il sans croire un seul mot de mon histoire farfelue, tout en m'intimant de décliner au plus sacrant mon identité et d'exhiber mes papiers pour prouver mon existence légale

— mais si je suis, j'existe! dis-je, bien qu'incapable de la décliner non plus de la certifier

— joue pas au plus fin avec moi! rétorque le susceptible, pis rends-moi cette urne, je me chargerai de la rapporter à qui de droit

je me laisse choir à ses pieds, m'enroule en boule autour de ton urne et fais le mort en espérant qu'il y croira et me laissera pourrir sur place avec tes cendres, mais plutôt il s'exaspère et en remet, me frappe cette fois dans les mollets sensibles, et voilà qu'au lieu de l'affronter et de me défendre comme il l'espère pour se justifier de me tomber dessus à bras raccourcis, je m'écrase comme un lâche sans rien tenter ni lui donner de prétexte pour amocher ma sale gueule de pouilleux, pour m'éclater le crâne de sans-génie, s'insurge-t-il, alors je persiste dans la stratégie du fœtus inoffensif plus efficace, toutefois, lorsqu'il y a quelqu'un à proximité pour témoigner de ma vulnérabilité et du recours abusif à la force de l'agresseur

— lève-toi, avant que je pogne les nerfs !

grogne le hargneux qui perd patience et me met cette fois son pied au cul sans que je bouge d'un poil pour l'horripiler, alors il y va d'un coup de talon dans les reins qui me tire une plainte, mais pas question de me lamenter, de supplier, de ramper à ses pieds de surveillant, encore moins de lui lécher les bottes même neuves et rutilantes, peut-être serai-je plus collaborateur s'il utilise ce bâton qu'il s'apprête à m'enfoncer dans les côtes

— tu le lâches, sinon tu te retrouves cette nuit sur le Web ! déclare un individu caché derrière un buisson qui affirme avoir filmé la scène de A à Z mais jure de ne pas la mettre en ligne s'il retraite et me fiche la paix

— mon tabarnac ! hurle le gardien qui braque sa lampe dans la direction de l'individu pour le débusquer et se précipite à ses trousses pour lui retirer son hostie d'appareil, mais le cinéaste est plus jeune et rapide, et se faufile dans le cimetière derrière, et disparaît entre les pierres tombales sous le regard médusé du surveillant convaincu qu'on l'a piégé exprès et qui grommelle, grince des dents, m'enjambe en refrénant difficilement son envie de me piétiner au passage, mais ce n'est que partie remise, m'avise-t-il, car il n'y aura pas toujours une caméra numérique pour capter la scène ! rage-t-il en s'éloignant à regret de ma carcasse encore hésitante à se dérouler, de peur qu'il soit tenté de revenir me tâter maintenant que l'individu n'y est plus pour braquer son œil tout-puissant sur lui, non plus pour expliquer à mon hurluberlu ce qu'il y faisait, comme un Roméo dissimulé sous la fenêtre de l'embaumeuse qui roupille à l'intérieur et n'a rien d'une Juliette, n'a même jamais parlé de lui, à ma souvenance, il faudra qu'il s'arme de patience et aussi jusqu'aux dents, s'il veut la conquérir sans y laisser sa peau

tiens tiens, le revoilà qui m'attend planté comme un piquet sur mon coin de rue, sa caméra accrochée au cou, pour filmer qui ou quoi cette fois ? je le lui demande, mais l'homme prétend y être dans l'unique but de défendre mes intérêts, car paraît-il que la rumeur court sur le Web que les élus ont décidé en catimini de faire un grand ménage dans le cœur touristique de la ville et de repousser plus loin les énergumènes de mon genre indésirable qui déparent, vivent aux crochets des autres et ne rapportent rien, si ce n'est des maladies infectieuses qu'on risque de transmettre, tels des rats contagieux et enragés, aux innocents qui n'ont pas d'autre choix que de nous côtoyer, il y en aurait même un, élu par d'autres, car pour ma part je ne vote pas, qui a proposé de nous chasser comme des vermines avec des gaz repoussants, peut-être toxiques mais seulement à court terme, a-t-il ajouté pour rassurer les résidants qui ont toutefois rejeté à l'unanimité sa proposition et opté pour plus simplement nous reloger dans un endroit sécuritaire à la Basse-Ville, ou mieux en banlieue pour être sûrs de ne pas nous revoir de sitôt dans la Haute, quitte à utiliser des fourgons ou des camions de déménagement comme ça s'est déjà fait ailleurs, de toute façon, qui verra la différence ? quand on est sans abri, ici ou là-bas, quelle importance ? a soulevé le représentant du quartier soucieux de la réputation et de la rentabilité du secteur qui cherche à attirer la classe aisée dans des condos de luxe vendus le gros prix, les taxes élevées mais acceptables et justifiées, à condition bien sûr d'assurer la sécurité et la salubrité des lieux qui passent par notre déportation, aurait conclu l'assemblée

— mais la partie n'est pas encore jouée ! déclare le cinéaste qui propose de mettre sa caméra au service de ma cause et de la défendre, si j'accepte d'être filmé, cela va de soi pour lui et non pour moi, car il aura besoin de me croquer sous tous les angles vivants ou morts, de montrer les dessous de mes coutures, d'exposer aussi mes écorchures et déchirures, et tout cela en noir et blanc, aucune couleur pour éclairer ma vie erratique qui n'a rien de rose, explique-t-il pour justifier sa préférence pour la grisaille, au risque de m'assombrir le portrait, car il arrive que le soleil brille aussi pour moi, je le lui rappelle, et allume des pépites d'or dans mes iris, mais il plaide qu'elles détonneraient et risqueraient de compromettre le traitement de son sujet

— quoi d'autre encore… euh… monsieur le cinéaste ?

il faudra aussi témoigner de vive voix ! tout raconter de A à Z, dire où je suis né et de qui, ce que j'ai fait et n'ai pas fait et pourquoi et comment, et expliquer dans le détail comment je suis tombé dans la rue, car il a bien fallu qu'un événement m'y précipite ! mais quoi ? ou qui ? insiste-t-il alors que je n'en sais trop rien ! lui dis-je, mais il en doute et me soupçonne plutôt de mauvaise foi de clochard soucieux de préserver son anonymat et sa liberté d'errer

— et quoi d'autre encore ? que je lui demande parce que je devine que l'homme n'a pas encore tout dévoilé de son scénario

il faudra aussi parler de toi, ma vieille cendrée, car tu as de l'importance, mais laquelle ? et comment en témoigner sans savoir qui tu es ? d'où tu viens ? à quoi tu ressemblais ? peut-être ai-je une photo, récente ou ancienne, à exhiber ?

— faudra lui montrer le portrait peint en gros sur le conteneur! j'y suis à mon meilleur!

t'excites-tu déjà dans mon cerveau pour me survolter, vieille vaniteuse, prête à tout dévoiler et à te mettre à nu s'il le faut pour avoir le premier rôle et être projetée en gros plan sur l'écran, car le curieux veut tout savoir sur la nature de nos liens et connaître de quoi tu as souffert, et les circonstances de ta mort dramatique, et surtout celles de ton embaumement, révèle-t-il enfin, car il y en a peu à vouloir vidanger et rafistoler des dépouilles rebutantes de notre genre itinérant et sans le sou, incapables d'assumer le coût élevé des derniers soins du corps et de l'âme…, laisse-t-il planer, l'air de marcher sur des œufs, la preuve que nous approchons du vif du sujet et que je ne suis qu'une voie de service qu'il emprunte pour contourner les embûches et parvenir en toute sécurité à son but qui semble être d'en apprendre davantage sur l'embaumeuse, plutôt que sur toi, ma vieille cendrée, cela dit sans vouloir t'offusquer

je feins de m'en étonner et m'exclame que le croque-mort qui s'est occupé de ta carcasse n'est nulle autre que la jeunotte qui réside dans le château devant lequel nous nous sommes rencontrés la nuit dernière, drôle de hasard quand même! dis-je faussement naïf au cinéaste qui ne détecte pas le sarcasme de mon commentaire tant il est préoccupé par son sujet

— c'est… hum… une amie, j'imagine? demande le maladroit

un autre, je le rabrouerais, l'attraperais par le collet, lui secouerais le prunier, mais celui-là est sans malice et m'a en quelque sorte sauvé la vie, n'empêche que je me demande pourquoi il me pose ses questions plutôt qu'à elle qui pourrait y répondre mieux que moi, peut-être l'a-t-il fait et a-t-il manqué y laisser sa peau, mais si c'est le cas et qu'elle l'a poignardé, lacéré comme je le pense, pourquoi revenir à la charge ? et risquer d'être déchiqueté et dévoré tout rond ? il faut qu'elle l'ait harponné solide

— tiens, tiens ! quand on parle du loup il se pointe la queue ! dis-je en apercevant la jeunotte

elle arrive au galop pour lui tomber dessus, et pas dans les bras ! plutôt sur la tomate sans lui laisser le temps de placer un mot pour sa défense, une vraie furie qui le houspille, l'accuse, l'engueule et le crucifie de son regard noir de sorcière, prête à le taillader, le déchiqueter, le réduire en bouillie même plus bonne pour les chats, s'il tente de m'embarquer dans son hostie de film sur la mort, le corps ou la thanatopraxie, du sujet elle se fout, tout comme de lui qui a avantage à sortir au plus sacrant de son décor, conclut-elle en relevant une mèche rebelle de cheveux noirs tombée devant ses yeux brillants de rage et de vie plutôt qu'éteints comme d'habitude, et ça c'est bon signe, me susurres-tu à l'oreille interne pour m'inciter à m'interposer, tel un bon Samaritain, entre lui et elle, avant qu'elle l'achève, d'autant plus que je suis en dû

— là, là, princesse ! dis-je en lui tapotant l'épaule pour la calmer, mais il en faudrait davantage, car elle est emballée

— il fait semblant de s'intéresser à toi de ton vivant en espérant que tu vas crever bientôt pis qu'il va pouvoir filmer ton embaumement ! c'est ça qu'il veut, un corps ! le tien ou celui d'un autre ! hurle-t-elle par ton urne interposée sans qu'il s'en étonne, la preuve qu'il a déjà été témoin de son numéro

— bof ! dis-je en haussant les épaules indifférentes

— j'ai changé de sujet ! l'informe le cinéaste

— m'en... m'en fffout ! bégaye-t-elle

— je veux traiter de l'âme

— llll'âme ? qu'est-ce que tu… tu yyy connnais ? pis cccom… ment tu… tu cccomptes la fffilmer ? demande-t-elle, ironique

— à travers tes yeux d'embaumeuse ! répond-il pour la déstabiliser cette fois

— tu vverras pas grand… grand-choooose ! y sont nnnoirs ! rétorque la jeunotte qui cache mal son trouble

— si c'est vrai, comme tu le dis, que tu les vois en suspension au-dessus de leur corps mort pendant que tu les embaumes, je pourrai peut-être capter leur reflet dans ta pupille

— ben sors ta… ta caméra tttout de sui… te, parce qu'yyy en a une, jjjus… te… ment, qui tourne au… au-dessus de… de ttta tête ! laisse-t-elle échapper, l'air de regretter aussitôt de l'avoir dit en le voyant qui blanchit, vacille, recule d'un pas, sonné par sa révélation inattendue

— ou… oublie ça, elle dddit n'im… n'importe quoi ! ment-elle pour se sortir du pétrin

— ma blonde s'est suicidée, il y a deux ans… on devait se marier… depuis ce temps-là, je l'entends pleurer, comme si elle y était, logée dans ma tête… je pensais que j'étais fou, avant de t'entendre parler des âmes… qu'est-ce qu'elle me veut ? je voudrais qu'elle se taise, parce que je ne suis plus capable de l'entendre pleurer… je ne suis plus capable

après cette révélation qui la laisse bouche bée à son tour, il tourne les talons et la plante là avec ce secret dont elle ne sait pas quoi faire, ébranlée, car il a fait vibrer une corde sensible de son cœur de cactus pourtant desséché et barbelé d'épines acérées, peut-être a-t-il une chance avec elle, te réjouis-tu, vieille entremetteuse

11

La poupée gonflable

Des hommes pour la baiser sans se soucier de son âme, ça se trouve. Des hommes pour la croire lorsqu'elle gémit, qu'elle soupire, qu'elle hurle d'un plaisir feint, ça se trouve aussi. Suffit d'aller dans un bar ou dans l'autre, même de chasser dans la rue, s'il le faut, pour en ramener un dans son lit. Pendant que l'étranger en rut s'abat sur son corps, elle s'en dissocie et flotte librement, l'âme errante et légère, en transit, perdue dans ses limbes, inaccessible. Même le tartarin est incapable de l'y rejoindre pour s'en moquer, la menacer, l'épouvanter.

Le problème, c'est qu'après il lui faut réintégrer son corps et qu'elle en souffre de plus en plus. L'âme surtout. Car le corps, lui, ne ressent plus grand-chose. Le problème, c'est aussi que le fil ténu qui les relie s'effiloche à la longue, devient de plus en plus mince et fragile. Faut dire qu'il est sous tension, avec un corps mort qui pèse à un bout, tire vers le bas, et une âme de plus en plus légère qui résiste, regimbe, tente de s'élever en paix. Pas surprenant que ses amarres menacent de lâcher. Mais si c'est là le prix à payer pour être débarrassée du monstre, pour ne pas être dévorée vivante par lui, elle en prend le risque. Elle ne sera pas la première, ni la dernière à vivre dissociée.

Mais elle a sous-estimé la perversité du tartarin, apprend-elle à ses dépens. Car ce soir, on dirait bien qu'il s'est immiscé dans la tête de cet homme, un simple quidam banal et ventru croisé plus tôt sur le trottoir, qui l'a suivie jusque chez elle, pressé de la monter, elle ou une autre, et qui la laboure sans retenue tout en fixant sur elle son regard noir et vide. Le même regard que le tartarin rivait sur elle, du temps de son vivant, pour qu'elle sache qu'à ses yeux elle ne valait pas grand-chose. Pour la réduire à sa valeur de monnaie d'échange. Une moins que rien, sans visage ni sentiments ni émotions. Qu'un vagin où s'introduire, se défoncer et jouir.

Elle tente de repousser l'animal qui la chevauche, mais plutôt que d'en descendre, il accélère son mouvement. Elle se débat, lui ordonne d'arrêter, mais il se crispe, grimace, la traite de putain, de cochonne. L'impression d'être une poupée gonflable qu'il écrase sans égard ni ménagement sous lui. Elle le frappe, le mord, le griffe mais l'homme n'a plus de frein et réplique d'une taloche en plein visage. La prochaine fois, il utilisera le poing, l'avise-t-il, pour l'encourager à faire la morte. Alors elle se dissocie, s'élève au-dessus de tout cela, flotte en apesanteur, s'occupe la tête à réviser ses connaissances anatomiques. Et tout à coup, ce qui se passe en dessous ne la concerne plus.

Le pénis est formé de trois corps de tissus érectiles – les caverneux latéraux, fixés chacun à une branche inférieure du pubis – le spongieux central suspendu par le bulbe au fascia inférieur du diaphragme uro-génital…

L'homme gémit.

… chaque corps est formé d'un tissu érectile entouré d'une capsule fibreuse – les corps sont maintenus ensemble par le fascia profond du pénis – l'ensemble est suspendu par le ligament suspenseur du pénis et le ligament fundiforme – le tissu érectile renferme des espaces sanguins appelés cavernes, alimentées par des artères situées dans les corps érectiles…

Il grimace, il halète.

… durant l'activité sexuelle, ces artères se dilatent sous l'influence du système nerveux autonome, amenant ainsi un plus grand volume de sang aux cavernes – l'expansion du tissu érectile qui s'ensuit comprime les veines situées en périphérie qui ne peuvent plus drainer le sang et le pénis durcit mais pas le gland…

Il râle, il grogne, il sue.

… en se contractant, le sphincter lisse de l'urètre qui entoure le col de la vessie empêche l'écoulement d'urine durant l'expulsion du sperme…

Il glapit, il éjacule, il pleurniche, il pue.

… le vagin est un tube fibro-musculeux élastique – sa muqueuse n'a pas de glande et les secrétions produites au cours de l'activité sexuelle viennent de la transsudation du plasma des capillaires locaux et des glandes du col – le revêtement du vagin possède peu de récepteurs sensitifs mais est capable d'une extension considérable durant l'activité sexuelle…

Il retombe de tout son poids mort sur elle, sans se soucier de l'écraser. Elle expire, la cage thoracique comprimée, peine à reprendre son souffle, tant ce corps étranger sur le sien lui pèse. L'homme soupire, renifle, prend ses aises et son temps, susurre poupée dans son oreille, dit qu'il a rarement joui de cette façon. Elle a envie de vomir.

… l'ovule pondu entre dans la trompe utérine, migre vers l'utérus et accède à l'ampoule de la trompe en trente

minutes environ – si du sperme a été déposé dans le vagin dans les vingt-quatre heures précédentes, environ une centaine des cinquante millions de spermatozoïdes rejoindront l'ampoule – un seul percera la membrane de l'ovule pour le féconder et former une première cellule appelée zygote…

L'homme se lève, se rhabille et la plante là, avec son nez qui saigne. Faut dire qu'elle l'a cherché, dit-il. Mais avoue que ça valait le coup, poupée, ajoute-t-il avant de claquer la porte. En le faisant, il réveille les fantômes du château. La femme infanticide gémit, se lamente. L'âme d'autres ex-détenues aussi. La sienne d'embaumeuse hurle, se débat au bout de son fil, refuse de réintégrer son corps bafoué. Elle se contracte, elle vomit.

… le zygote se divise et forme deux… deux… deux quoi ? se demande-t-elle, incapable de se concentrer avec tout ce chaos. Qu'importe, de toute façon, il n'y aura pas de zygote dans son utérus et le corps jaune commencera à dégénérer vers le vingt-sixième jour pour devenir corps blanc et… l'endomètre se détruira et… les menstrues descendront dans son vagin et… et…

Et quoi ? demande le tartarin qui jubile de la voir perdre le fil de ses idées et se prépare à lui en faire voir de toutes les couleurs, au prochain rêve. Car il faudra bien qu'elle ferme les yeux et dorme, rappelle le vicieux. Si ce n'est pas cette nuit, ce sera la suivante, ou celle d'après. Ça ne lui laissera que plus de temps pour cogiter un cauchemar dont elle se souviendra longtemps. À condition qu'elle s'en réveille, la nargue-t-il avant d'éclater d'un rire tonitruant. Le sol en tremble sous ses pieds. Les murs de sa forteresse de pierre se fissurent. Le haut plafond craquelle, menace de s'affaisser sur sa tête. Elle attrape les vêtements qui lui tombent sous la main, s'habille à la hâte, se précipite dehors, fuit le séisme intérieur.

Des feux sont allumés dans des contenants métalliques disposés aux quatre coins de la place sise devant l'imposante église de la Basse-Ville. C'est la nuit des sans-abri et il y en a une bonne centaine à y être venus pour fêter, mais surtout pour profiter du café et des beignes distribués en quantité et gratuitement. Elle en fait le tour, interroge à gauche, à droite, scrute les visages dans la pénombre : aucune trace du clochard. Il n'est pourtant pas du genre à rater une bonne occasion de se remplir la panse ! Peut-être roupille-t-il, déjà repu, sous un de ces arbres chétifs qui poussent dans la terre pauvre, coincés entre des dalles de béton, à s'étirer en hauteur dans l'espoir de faire un jour de l'ombre aux édifices qui, eux, poussent comme des champignons géants pour les étouffer. Peut-être aussi cuve-t-il son vin bon marché, recroquevillé sous un banc, soûl comme une botte, sans craindre les contraventions, non plus la répression ni même les agressions. Car de l'alcool, il en circule et en coule à flots ! constate-t-elle, malgré l'interdiction formelle d'en consommer sur place. Mais personne ne va fouiller sous les parkas ni sous les couvertures de laine où on dissimule aussi du stock bon à fumer, hume-t-elle autour, l'odeur facilement reconnaissable gravée à tout jamais dans son bulbe olfactif qui active, encore aujourd'hui, une sonnette d'alarme dans son cerveau… *l'envie soudaine de fuir, réprimée par l'ordre de sa camée de mère de faire la morte pendant que le fournisseur de dope jouit à son corps défendant…*

Elle frissonne, s'approche de la flamme qui s'élève dans un brasero, accepte le café qu'une femme lui tend, le sourire sincère et désarmant qui fait du bien et rappelle qu'elle est toujours vivante. Elle dit merci, tente de sourire à son tour, esquisse une grimace dont la femme devra se contenter.

Cette nuit, elle n'a rien d'autre à offrir. Elle jette un dernier coup d'œil autour, dans l'espoir d'apercevoir le clochard, se réchauffe les mains un instant au-dessus du feu, décide d'aller l'attendre à l'abri dans son conteneur. À peine le temps de faire quelques pas qu'elle l'aperçoit qui sort de l'ombre, se juche sur le parvis de l'église, se plante direct sous les spots de lumière qui le projettent plus grand que nature sur le mur de pierre derrière et déclame, de sa voix tonitruante :

— « Tu es un jardin verrouillé, ma sœur, ô fiancée ; une source verrouillée, une fontaine scellée ! Tes surgeons sont un paradis de grenades, avec des fruits de choix : le henné avec le nard, de la cannelle et du cinnamome, avec toutes sortes d'arbres à l'encens ; de la myrrhe et de l'aloès, avec tous les baumes de première qualité… »

Les gens s'en étonnent comme d'une apparition divine et s'agglutinent à ses pieds, en attente d'une suite qui se fait attendre. Le clochard caresse de la main l'urne de la vieille, la supplie de se manifester, de lui donner la réplique. Tous les regards sont braqués sur lui qui trépigne de peur de décevoir son public. Elle revient sur ses pas, se faufile à travers la foule de curieux, s'approche jusqu'à être à portée de voix, l'intention de donner la parole à la vieille cendrée qui jubile à l'idée de se produire une dernière fois sur scène.

— « Je suis une fontaine de jardins, un puits d'eaux courantes, ruisselant du Liban ! Éveille-toi, Aquilon ! Viens, Autan ! Fais respirer mon jardin, et que ses baumes ruissellent ! Que mon chéri vienne à son jardin et en mange les fruits de choix ! » déclame-t-elle à son tour.

— « Je viens à mon jardin, ma sœur, ô fiancée ; je récolte ma myrrhe avec mon baume ; je mange mon rayon avec mon miel ; je bois mon vin avec mon lait ! » répond le chéri qui s'enflamme et s'agite, baguettes en l'air, tel un vrai prédicateur.

— « Mangez, compagnons ! buvez, enivrez-vous, chéris ! » déclament-ils à l'unisson pour soulever la foule qui applaudit, séduite par ces paroles bibliques qui encouragent pour une fois le plaisir et le vice plutôt que l'abstinence et la vertu.

Un homme qu'elle n'avait pas remarqué avant, tapi lui aussi dans l'ombre d'un des larges portiques, sort soudainement de sa cachette, s'avance près du clochard et scrute la foule, la main en visière pour se protéger de la lumière aveuglante des spots braqués par accident sur lui qui n'y est pas pour faire son numéro. Plutôt en quête de la ventriloque habile à faire parler une urne, s'effraie-t-elle lorsqu'elle surprend, dans le regard perçant de l'homme qui balaie l'assistance, cette étincelle dorée capable de percer les nuits les plus noires, de lire dans les âmes les plus sombres, même la sienne ! Elle baisse les yeux, rentre la tête dans les épaules, remonte son foulard jusque sous le nez et retraite avant qu'il la pointe de son laser, qu'il la reconnaisse et la dissèque sur place.

Sans ce regard fauve, hérité de son loup de père, jamais elle ne l'aurait reconnu. Face de lune ! Comment oublier la lumière pure et dorée de ce regard ? Lorsqu'il le posait sur elle, lorsqu'il l'en caressait, son âme opaque à force d'être souillée devenait claire et transparente comme du cristal. Comment l'a-t-il retrouvée ? Et pourquoi l'avoir cherchée ? Sinon pour régler ses comptes en souffrance avec elle. Car après l'avoir séduit, après l'avoir aimé aussi, mais à sa façon, déficiente, égoïste et carencée, elle l'a renié, elle l'a trahi ! Alors que lui, encore puceau, était prêt à l'épouser, même enceinte d'un autre, comme un Joseph amoureux fou de sa Marie, avait-il déclaré pour la faire rire et rêver aussi. Mais son pire crime a été d'avoir semé le doute dans son esprit et de lui avoir volé ce qu'il avait de plus précieux : son innocence. Car en Cour, elle a juré l'avoir vu se ruer fou furieux sur son loup de père et l'abattre, le terrasser, le réduire en bouillie, pour après se débarrasser à la sauvette de la dépouille, balancée sans états d'âme dans la rivière tumultueuse. Alors qu'elle n'en savait trop rien ! Qu'elle n'avait rien vu, d'où elle était, dissimulée derrière un bosquet pour échapper au tartarin et à sa gang de petits merdeux venus pour la débusquer et réclamer leur dû. Mais elle avait entendu leurs motos pétaradantes qui tournaient autour du corps du père, leurs hurlements de coyotes et leurs rires d'hyènes. Elle avait aussi entendu les gémissements, les suppliques, les râlements de l'homme qui gisait et convulsait au milieu de leur cercle infernal. Et surtout, les cris, les menaces puis les hurlements de douleur, les sanglots étouffés de face de lune, lorsqu'il a découvert la carcasse amochée de son loup de père réduit à l'état quasi végétatif. Elle aurait pu en témoigner. Aussi de l'amour filial inconditionnel de l'adolescent pour cet homme qu'il honorait et vénérait comme un père légitime qu'il n'était peut-être pas, mais l'entourait et le couvait comme s'il l'était. Elle ne l'avait pas fait. Ça ne l'aurait peut-être pas innocenté, mais au moins, elle n'aurait pas semé le doute dans son esprit, planté cette mauvaise graine qu'il avait peut-être tué par vengeance, comme les témoins le prétendaient, plutôt que par compassion comme lui le jurait. Mais elle l'a accusé, a innocenté le tartarin. Pour sauver sa peau, qui autrement n'aurait pas valu cher sur le marché. Pour payer les dettes de sa camée de mère aussi, qui risquait autrement d'y laisser la sienne, sa peau de camée, sa peau de paumée prématurément usée et vieillie, des bleus au creux des bras, derrière les jambes même sur les pieds à force de se piquer. Peut-être aussi pour échapper à son emprise, car face de lune voulait l'épouser ! Et elle avait dit oui ! Sans réfléchir. L'espoir naïf qu'il pourrait combler son déficit. Alors qu'elle était sans fond et n'avait rien à offrir. Seulement un cœur de pierre qui ne battait que pour lui-même. Encore aujourd'hui, il ne bat dans sa poitrine que pour pomper le sang. Une machine bien rodée sans états d'âme ni émotions, activée par des impulsions électrochimiques. Un muscle involontaire qui pousse le sang désoxygéné provenant des veines caves vers les poumons, qui le repousse une fois oxygéné dans l'aorte ascendante qui se charge de l'acheminer dans le réseau de vaisseaux qui irriguent le corps. L'adolescent l'aurait découvert un jour ou l'autre. Son faux témoignage la mettait une fois pour toutes à l'abri de la menace qu'il faisait planer sur elle, avec son amour trop grand, trop pur, trop désintéressé pour ne pas être effrayant. Il aurait dû le comprendre de lui-même et ficher le camp. Mais il s'accrochait. Le fœtus qu'elle portait l'avait senti de l'intérieur, lui, et avait décidé à cinq mois d'avorter pour échapper à son appétit d'ogresse sans cœur et insatiable. Car elle l'aurait vampirisé plutôt qu'aimé ! Quel enfant aurait voulu d'une telle mère ? N'empêche qu'elle aurait souhaité qu'il y reste, relié à ses entrailles, comme une preuve qu'elle pouvait donner la vie et pas seulement la mort. Car ça mourait à plein autour, sur elle aussi, tant ils étaient nombreux à avoir expiré entre ses cuisses d'adolescente à peine pubère.

Elle rabat le capuchon de son coton ouaté et fend la foule, se sauve en espérant ne pas attirer l'attention du fils du loup. Non qu'elle craigne ses menaces, ses insultes ou ses coups. Elle les mériterait. Plutôt qu'il lui pardonne et fasse preuve de compassion. Car il en serait capable, même après sa trahison ! Et aussi de pénétrer de nouveau son âme. Une fois mise à nu, il en découvrirait le vide, la noirceur, exposerait à la lumière du jour son trou béant ! Et ça, elle ne le supporterait pas.

Le clochard la hèle, du haut du parvis de l'église. Elle ne répond pas, ni ne se retourne. Elle fuit.

Elle marche toute la nuit, va là où ses pas la mènent, s'enfonce dans le dédale de ruelles et de culs-de-sac de la Haute et de la Basse-Ville, parmi les junkies, les prostituées, les ivrognes, les épaves de la rue. Elle s'y fond, telle l'une des leurs. À l'occasion, une voiture ralentit et un homme la sollicite, une pute comme une autre. Faut dire qu'elle en a l'air, à force d'être bafouée, dévaluée, réduite à l'état de marchandise. À la différence qu'elle s'offre gratuitement pour se punir de ses mensonges, de ses trahisons, de ses manques à donner. Une aubaine ! sentent d'instinct les prédateurs en quête d'une femme à châtier. Comme celui-là, qui la klaxonne, et qu'elle envoie chier d'un doigt d'honneur risqué. Le mâle en rut s'en offusque, exécute un virage à cent quatre-vingts degrés, écrase la pédale au plancher, fait crisser les pneus de sa voiture. Les mains crispées sur le volant comme sur une arme, il fonce sur elle, l'air de vouloir la faucher et la faire payer pour toutes les autres qui, avant, l'ont rejeté. À la dernière seconde, il bifurque, la frôle de près, la renverse dans les poubelles.

Effrayée, épuisée aussi, elle se réfugie sur le palier de cette cathédrale, juchée sur un promontoire. Le besoin de s'élever un peu. La porte est verrouillée. Elle aurait aimé y entrer, s'asseoir sur les longs bancs de bois inconfortables, respirer l'odeur étouffante de l'encens, s'étonner de la réfraction de la lumière dans les vitraux bleu indigo, rouge sang, jaune or. Elle aurait voulu frémir aux sons des grandes orgues, s'élever avec les notes célestes, tomber repentante à genoux devant le Christ agonisant sur la croix, pleurer avec la Vierge sur son fils supplicié, confesser ses péchés au curé qui en aurait entendu de pires et lui accorderait sans condition son absolution, la gratifierait de son extrême-onction. Elle aurait voulu communier avec les autres, une fois, pour apaiser sa faim insatiable d'absolu.

Mais les portes n'ouvrent qu'à onze heures, et il n'y aura pas d'offices aujourd'hui. Seulement un défilé de touristes qui l'assiégeront, avec leur appareil photo numérique au cou, qui allumeront des lampions à deux dollars en faisant semblant d'y croire, qui s'arrêteront devant chacune des stations du long chemin de croix sans en souffrir, qui s'assoiront pour reposer la plante de leurs pieds endoloris, qui jetteront un coup d'œil sur leurs photos, préoccupés d'en vérifier la qualité et l'intérêt, plutôt que sur les saints qui leur tendront pourtant les bras, qui écouteront d'une oreille distraite les explications du guide, impatients, pressés d'aller photographier ailleurs.

Pour les oiseaux de nuit de son genre, les désorientés, les pouilleux, les malfamés qui risquent de souiller et de squatter les lieux, les portes sont verrouillées. Dieu n'a-t-il pourtant pas dit : bienvenus dans Ma maison les pauvres d'esprit, les démunis, les déshérités, même les pécheurs ? hurle-t-elle en martelant le lourd battant de la porte, emportée par le besoin d'y croire. Si elle s'ouvrait, si elle béait pour l'accueillir, elle n'en ressortirait plus. Mais elle est bel et bien verrouillée, et Dieu est sourd à son appel de pécheresse. Elle s'affaisse, se recroqueville en fœtus sur le froid parvis de pierre et prie, à sa façon désespérée.

— « En moi le souffle s'éteint,/la désolation est dans mon cœur./J'évoque les jours d'autrefois,/je me redis tout ce que Tu as fait,/je me répète l'œuvre de Tes mains./Je tends les mains vers toi ;/me voici devant toi, comme une terre assoiffée. »

Personne ne se pointe pour l'accueillir, la consoler, lui pardonner le mal qu'elle a fait comme d'autres lui en ont fait. Épuisée, elle s'endort, se livre sans défense au tartarin qui ne se gêne pas pour pénétrer dans son cerveau et lui faire comme promis un cauchemar dont elle va se souvenir longtemps :

elle flotte, en apesanteur, toute de blanc vêtue telle une mariée aux pieds nus, son long voile soulevé par des papillons aux pattes coincées dans la dentelle… elle flotte, légère et aérienne, entre les bras de cet adolescent déjà fait homme qui lui fait des yeux doux de loup et lui promet, juré craché, de lui décrocher la lune et de la lui servir avec du miel… leur couple fragile se pose, alangui, sur le dos d'un grand oiseau au plumage blanc immaculé qui déploie ses ailes, plane et s'élève avec eux au septième ciel… des angelots nus et dodus jouent du violon, allument des cierges aux flammes dorées et chantonnent, sans se soucier d'avoir la tête en bas ou en haut, car une fois rendus là, il n'y a plus de sens qui tiennent, seulement des étoiles qui fleurissent en bouquets, seulement des enfants qui gazouillent et sourient dans des montgolfières soufflées par le vent, seulement des licornes blanches et sans taches qui hennissent des berceuses sur des airs d'opéra pour les enchanter, seulement le soleil qui avale la lune, son cœur rouge sang posé sur un disque d'or qui explose d'amour et projette des langues de feu incandescentes, grand feu de joie, feu d'artifice, un feu sacré qui embrase tout… même l'oiseau blanc ! qui tout à coup s'y brûle le bout des ailes, et perd des plumes, et pique du nez, tombe en chute libre vertigineuse, le vol plané devenu vrilles qui creusent profond jusqu'en enfer… et voilà que le rêve en couleurs, fou et beau comme une toile de Chagall, devient film d'horreur, et qu'au lieu d'être déposée avec son beau poète, son pierrot au cœur de loup, sur un nuage blanc cotonneux du septième ciel qui embrasse la lune, elle est projetée par-dessus bord, précipitée la tête la première dans une mer écarlate qui s'entrouvre, écarte large ses flots menaçants, expose son tréfonds et ses monstres marins qui l'attendent gueules ouvertes, puis se referme et l'engloutit telle une épave qui prend l'eau et coule à pic au fond et y demeure prisonnière, retenue par un boulet accroché comme un fœtus monstrueux à ses entrailles… elle ouvre la bouche, tente de hurler, d'appeler son fiancé qui poursuit son ascension vers la lumière sans elle, mais aucun son ne sort de sa gorge, seulement des poissons hideux de ses abysses, seulement des serpents venimeux qui y entrent et en sortent à leur guise…

Elle se réveille en sueur, transie, le souffle court, la bouche sèche. Des étudiants qui déambulent, le pas pressé, avec leur sac à dos, se moquent, ricanent à ses dépens, s'effraient aussi de l'avoir surprise à gésir et se débattre en hurlant pour échapper au monstre. Elle se redresse, s'adosse contre la porte, reprend ses sens. Un agent, planté au milieu de la rue pour faire traverser en sécurité les écoliers, lui signifie de libérer la place. Du doigt, il pointe la voiture de police qui patrouille dans le secteur. Elle se faufile, disparaît dans le dédale de ruelles, cherche son fourgon qu'elle a stationné quelque part, mais où ? Elle ne s'en souvient plus. Non plus de la raison pour laquelle elle s'est réveillée ici, couchée sur le dur à la belle étoile comme une clocharde, plutôt qu'étendue dans le lit douillet de son Château, tant elle est hébétée. Mais la mémoire lui revient d'un coup et lui rappelle que le fils du loup y est, à rôder en ville, pour la menacer, pour régler ses comptes avec elle, pour la faire cauchemarder à son tour, en plein jour. À croire que le tartarin et face de lune ont fait alliance contre elle pour la piéger, pour la coincer, la pousser dans ses derniers retranchements.

12

Le pisteur

Il y avait plus d'un fou, en ville, à vivre dans la rue et à déambuler, l'air erratique tombé des nues, en chantant les louanges de Dieu, des Michel, Jacques ou Daniel, même un archange Gabriel ! un vétéran de l'armée rapatrié après avoir changé son fusil d'épaule et tiré sur l'un des siens surpris à violer une fillette musulmane, qui depuis implorait Dieu et Allah d'aller régler leurs comptes ailleurs que dans sa tête qu'il tentait d'arracher tant ça gueulait, tant ça explosait, mais j'avais beau questionner à gauche et à droite, fréquenter les soupes populaires, dormir dans les refuges, personne ne se souvenait d'un ingénieur minier, blond et frisé beau comme un ange, devenu prédicateur itinérant après avoir reçu une poutre sur la tête, comme l'avait prétendu ma ratoureuse de mère, peut-être pour me clouer le bec et en finir avec mes questions insidieuses, mais je la soupçonnais plutôt d'avoir inventé toute cette histoire pour ne pas mourir de honte après s'être fait avoir comme une débutante et imaginé avoir rencontré le fameux prince charmant, venu en avion plutôt qu'à dos de cheval blanc, dans le seul but de la sortir de ce trou où elle végétait, comme dans les contes de fées écrits pour faire rêver les filles, et surtout les décevoir.

Après des jours d'errance, à avancer à pas de loup sur ce territoire qui n'était pas le mien, à le pister, discret, silencieux et à l'affût pour ne pas effaroucher l'animal qui peut-être se terrait tout près et m'épiait de son côté sans pour autant se pointer le bout du nez, j'étais sur le point de rentrer chez moi bredouille, lorsqu'un travailleur de rue croisé par hasard m'a suggéré d'aller voir du côté de la Basse-Ville où avait lieu la nuit des sans-abri, peut-être y en aurait-il un pour attirer mon attention et ressortir du lot habituel, mais j'y étais depuis des heures, à me faufiler et à épier mine de rien, l'oreille tendue indiscrète et les sens en alerte, à scruter les visages dans la lumière faiblarde et vacillante des feux qui brûlaient dans des barils disposés ici et là pour réchauffer les plus frileux, à chercher dans les traits de l'un puis de l'autre mon prétendu géniteur.

Mais comment le reconnaître? sans photo ni même description pour orienter mes recherches, si j'exceptais le portrait trop flatteur tracé par ma menteuse de mère, une seule image nette et précise en tête, celle de mon loup de père que malgré moi je cherchais dans tout un chacun, tant son souvenir était gravé profond dans ma mémoire d'enfant devenu homme, tant j'étais incapable d'en imaginer un autre que lui pour la séduire, l'ensemencer et me concevoir à son image, sauf celui-là, peut-être, que j'apercevais pour la première fois, qui s'avançait en titubant sur le parvis de l'église et se plaçait en plein milieu du faisceau lumineux braqué sur le portail central pour l'illuminer, qui en avait la carrure d'épaule, la même allure hirsute et déjantée aussi, la même démarche saccadée et hésitante, tout comme la sensualité animale et cette capacité rare d'occuper l'espace, tout l'espace, et de capter l'attention comme s'il était le seul en scène, les bras larges ouverts, la tête levée vers le ciel, pour déclamer son chant d'amour de cette voix rauque et grave qu'avait aussi mon loup de père lorsqu'il célébrait les charmes de ma sulfureuse de mère :

— Lui : « Que tu es belle, ma compagne, que tu es belle ! Tes yeux sont des colombes ! » Elle : « Que tu es beau, mon chéri, combien gracieux ! Combien verdoyante est notre couche ! Les poutres de notre maison sont des pins, et nos lambris, les genévriers. Je suis le narcisse de la Plaine, un lis des vallées. » Lui : « Comme un lis parmi les ronces, telle est ma compagne parmi les filles. » Elle…

— La vieille ! La vieille ! La vieille ! scandaient à l'unisson les spectateurs qui tapaient des mains et réclamaient de l'entendre elle, plutôt que lui qui interprétait les deux rôles et se grattait le crâne, sans trop savoir comment se sortir du pétrin, car il avait soulevé des attentes qu'il n'était pas en mesure de satisfaire, mais peut-être quelqu'une dans l'assistance ? semblait-il chercher, une main en visière pour se protéger de la lumière aveuglante, scrutant à droite, puis à gauche, l'air inquiet, pour finalement s'éclairer lorsque l'urne qu'il tenait à la main a réclamé le silence avant de déclamer, d'une voix forte surgie d'outre-tombe :

— « Comme un pommier au milieu des arbres de la forêt, tel est mon chéri parmi les garçons. À son ombre, selon mon désir, je m'assieds ; et son fruit est doux à mon palais… Éveille-toi, Aquilon ! Viens, Autan ! Fais respirer mon jardin, et que mes baumes ruissellent ! Que mon chéri vienne à son jardin et en mange les fruits de choix ! »

— « Je viens, je viens, ma Sulamite ! récolter ta myrrhe avec mon baume, manger ton rayon avec mon miel, boire ton vin avec mon lait ! » a répondu du tac au tac le clochard pour amuser la foule qui en redemandait, bien que certains s'en offusquassent comme d'un sacrilège, alors que d'autres, impressionnés et dupes de son numéro, tombaient à genoux devant l'homme qui brandissait son urne tel un trophée au-dessus de sa tête et saluait de la main cette femme qui rabattait sur sa tête le capuchon de son manteau et s'éclipsait en douce après avoir déclamé par urne interposée, et bien que je n'aie pas vu son visage, je savais que c'était elle, celle que j'avais aimée jusqu'à vouloir lui décrocher la lune, celle qui m'avait fait père avant d'être devenu homme entre ses bras, celle qui m'avait trahi, renié, fait condamner, car il y en avait peu à avoir ce talent de ventriloque, à connaître par cœur ces versets de la Bible, mais que faisait-elle ici ? aurais-je voulu lui demander, et pourquoi s'être liée à ce clochard-ci, précisément, plutôt qu'à un autre ? aurais-je aussi voulu savoir, car elle avait sûrement remarqué la ressemblance entre l'homme et mon animal de père qu'elle avait fait rire plus d'une fois à s'en tenir les côtes, lorsqu'elle gueulait et jurait comme un charretier par pigeon ou jument interposés, et pourquoi s'enfuir comme une coupable, une fois sa réplique donnée ? l'air de craindre d'être débusquée, jugée et peut-être aussi condamnée à son tour, mais par qui ? je me le demandais, en la regardant disparaître dans la nuit, figé comme une statue les bras ballants et hébété sur le parvis de l'église, partagé entre l'envie de dévaler les marches, de fendre la foule, de la prendre en chasse et d'enfin régler mes comptes avec elle, et celle de ne pas perdre de vue le clochard qui titubait et tanguait dangereusement, car une fois dégrisé il pourrait peut-être m'en apprendre davantage sur le beau Gabriel, s'il existait bien sûr, et peut-être aussi sur elle qui lui avait donné la réplique sans qu'il le demande, comme s'ils étaient de connivence.

La place était quasi vide, les feux éteints, et les responsables de l'événement s'activaient déjà à nettoyer l'endroit lorsqu'il a décidé de se dénicher un abri où roupiller en paix avec sa vieille cendrée à qui il chantait la pomme, la voix pâteuse de l'ivrogne, la démarche instable, le pas précaire, une bouteille vide à la main qu'il portait à sa bouche comme si elle était pleine pour raviver ses papilles et tromper sa soif insatiable, sans remarquer que je le suivais dans le dédale de rues et de ruelles qui menaient à son repaire d'animal sauvage où l'attendaient une gang de jeunes gothiques, plus effrayés qu'effrayants de mon point de vue, qui ont surgi de derrière les poubelles et se sont abattus tels des vautours sur lui qui s'est écroulé sans pour autant lâcher l'urne qu'il enserrait dans l'étau de ses bras, alors que c'était elle et non lui qui intéressait ces oiseaux noirs de malheur qui menaçaient de lui casser les deux jambes s'il ne la lâchait pas, et aussi la gueule s'il ne la fermait pas, car il hurlait à fendre l'âme, et pourquoi pas une côte ou deux pour le calmer ? a proposé l'un d'eux qui trépignait de passer aux actes, mais s'est ravisé en me voyant surgir et m'interposer comme un mur solide entre eux et le clochard, les muscles bandés, les poings fermés prêts à cogner sur le premier qui toucherait ne fût-ce qu'à un cheveu de l'homme qui gisait et gémissait et se tordait et se révulsait sous le regard apeuré de ses agresseurs frêles et chétifs dessous leurs vestes de cuir noir garnies de chaînes, de pics et de boulons qui faisaient plus de bruit que de mal, qui n'avaient pas prévu que j'y sois, prêt à mordre et à frapper comme une bête enragée, nullement impressionné par leurs masques noirs et blancs, leur allure famélique et cadavérique qui trahissait leur mal de vivre, leur peur d'en mourir aussi.

Lorsque le chef du clan a sorti son couteau et l'a pointé sur le clochard qui se convulsait mais refusait toujours de lâcher l'urne, plutôt mourir que de quitter sa vieille cendrée, j'ai perdu les pédales et j'ai foncé sur l'agresseur, empoigné la lame sans me soucier du sang qui coulait de ma paume refermée sur le tranchant, et immobilisé l'adversaire qui fixait, hébété, la coulée tiède et rougeâtre et a préféré lâcher prise et décamper plutôt que de m'affronter, faut dire que je le dépassais d'une tête et aussi d'une largeur d'épaules, tout en jurant de revenir un autre jour pour mettre le feu à son hostie de conteneur et de le faire flamber, de le réduire à son tour en cendres tiédasses qu'il se ferait une joie d'éparpiller aux quatre vents ! a-t-il gueulé, juché sur le toit d'une voiture stationnée dans la rue pour impressionner les potes et sauver la face, avant d'en sauter, agile comme un chat, et de déguerpir sans attendre ma réplique.

— Dans mes bras… euh… fiston… enfant prodigue, peut-être ? bah, quelle importance ? et comment va… euh… ta sainte mère ? toujours aussi… euh… affriolante, j'imagine… bof, pas de mes affaires, quand même ! a déclaré le clochard que je croyais trop éméché et sonné pour avoir conscience de ma présence.

L'homme m'a scruté, le regard brumeux, les bras ouverts prêts à se refermer sur moi qui ne demandais qu'à m'y jeter comme jadis dans ceux de mon loup de père, le seul à m'avoir appelé ainsi, fiston, de cette voix rauque et grave qui me donnait le goût de me lover contre sa poitrine pour qu'il m'y coince dans l'étau de ses bras forts et velus, mais j'hésitais et restais figé sur place, comme un enfant lorsqu'il a souffert d'une trop longue absence et se refrène, par gêne, par peur, par vengeance peut-être aussi, alors le clochard s'est approché jusqu'à me frôler, a enroulé ses bras autour de mon corps d'enfant et m'a tapoté le dos de ses larges mains paternelles.

— Là, là, fiston ! a-t-il dit, pour abattre mes résistances.

Il n'en fallait pas plus pour que je m'effondre et que nous nous retrouvions dans les bras l'un de l'autre, à gémir et à pleurer comme père et fils que nous n'étions peut-être pas mais aurions pu être, ne pouvais-je m'empêcher de penser, tant nos affinités me paraissaient naturelles, tant nous nous comprenions à demi-mot, tant j'avais besoin de le croire et de me bercer de cette douce illusion, mais nos retrouvailles ont été interrompues par le reflet rouge des gyrophares d'une voiture qui patrouillait dans le secteur, probablement à la suite d'une plainte logée par le proprio du deuxième facile à effrayer et à indisposer, a supputé le clochard en m'incitant à ramper à sa suite dans la vase jusque sous ce cabanon à peine assez haut pour s'y glisser, le temps d'échapper aux policiers qui braquaient leurs lampes de poche dans tous les recoins, fouillaient derrière les poubelles, s'intéressaient au conteneur fraîchement repeint où il avait l'habitude de se terrer, s'étonnaient d'y apercevoir sur la devanture le portrait d'une vieille haute en couleur et aussi d'y découvrir à l'intérieur un matelas et un oreiller douillets qu'ils ont décidé de confisquer pour décourager quiconque d'y squatter, question aussi de ne pas rentrer bredouilles, s'est moqué le clochard qui aurait dû s'en inquiéter et dénicher un abri plus sûr.

Mais il refusait de quitter les lieux et d'abandonner la vieille qui faisait la coquette pour lui, la tête penchée par la fenêtre trompe-l'œil, dessinée de mémoire par une embaumeuse qui vivait dans un château comme une princesse à l'autre bout de la ville où elle l'avait vidangée, massée et restaurée plus belle que nature avant de la réduire en cendres grises déposées dans une urne facile à transporter dans la poche profonde de sa redingote, bien qu'elle préférât être exposée dans les bras de son amoureux, avait déclaré la princesse par urne interposée, ou vice versa prétendait pour sa part le clochard, car malgré ce qu'en disait l'embaumeuse qui aimait croire qu'elle avait le monopole de la pensée, à cause de ce talent de ventriloque dont elle abusait à l'occasion lorsqu'elle pressait de dire, pas de temps à perdre à bégayer, la vieille aussi profitait d'elle et lui soufflait à l'occasion des répliques sulfureuses, comment expliquer autrement qu'elle l'appelle ainsi, chéri, d'une voix à donner des frissons ? qu'elle déclame de mémoire, en pigeant au même registre religieux son amour de Sulamite ? qu'elle fredonne des chansonnettes d'une époque révolue même pour feu sa mère ? a-t-il soulevé pour m'éclairer sur la nature de leurs liens, car cette drôle d'embaumeuse et Eueee n'étaient qu'une seule et même personne, à la fois celle qui veillait dorénavant sur lui et la vieille, et celle qui jadis m'avait séduit mais aussi trahi, laissé en plan avec mon désir d'elle inassouvi et ce rêve d'enfant qui germait dans son ventre pour me combler tel un Joseph que j'étais pour elle, ma vierge trop souvent offensée et souillée.

Après l'avoir pistée à son insu lorsqu'elle sortait le soir, j'ai décidé d'aller l'attendre dans ce bar où elle avait l'habitude de prendre un verre pour tromper sa solitude et je me suis tapi dans un coin sombre d'où je pouvais l'épier sans attirer l'attention, la voir entrer l'air de vouloir en sortir, faire trois pas devant et deux derrière, se figer sur place et y rester trop longtemps telle une proie aux aguets qui hésite entre foncer ou fuir avant d'être repérée, se balancer sur un pied puis sur l'autre, en équilibre précaire, tout en survolant d'un regard en apparence indifférent, quasi hautain, la faune qui s'y pressait pour profiter des prix réduits du cinq à sept, secouer sa lourde crinière qui, à seize ans, lançait des flammèches rouges aujourd'hui noir bleuté, le visage blanc trop blanc de morte vivante, le regard sombre tourné vers l'intérieur pour montrer qu'à ses yeux rien ni personne n'en valait la peine, puis se lancer et fendre d'un coup imprévisible la foule dense et compacte sans se soucier de bousculer, la démarche lourde, le corps qui pesait et embarrassait mais la tête haute, l'allure faussement légère et aérienne de celle qui planait, flottait au-dessus de la mêlée, incapable depuis toujours de s'y glisser naturelle, de s'y fondre et s'y lier, seulement de s'y jeter la tête la première, seulement de s'en dissocier.

À la différence que ce soir, elle s'affichait séductrice plutôt qu'épineuse comme je l'avais connue, qu'elle se juchait sur un haut tabouret, croisait les jambes, dévoilait généreusement la peau de ses cuisses blanches et fermes, plutôt que de se faufiler jusqu'au siège vacant au fond de la classe, de s'y laisser choir en condamnée à mes côtés, de s'y recroqueviller et de se refermer comme une huître dans son coquillage, à la différence aussi qu'elle souriait plutôt que de montrer les crocs, les lèvres rouges givrées plutôt que bleu cadavérique, qu'elle battait des paupières, papillonnait et faisait des yeux doux de biche plutôt que de lancer des éclairs pour menacer de foudroyer le premier à vouloir l'approcher, qu'elle relevait ses longs cheveux, dégageait un instant sa nuque, les rejetait dans son dos plutôt que de les laisser tomber de chaque côté de son visage pour s'en faire des œillères mais aussi un écran protecteur derrière lequel se réfugier, qu'elle posait tantôt désinvolte, tantôt aguicheuse, tantôt voluptueuse, jouait avec l'un à l'innocente, à l'insouciante avec l'autre, à la proie consentante, même à la vamp fatale dans sa robe noire trop ajustée, trop décolletée, trop courte exprès pour détourner l'attention de son vide intérieur autrement apparent, mais son jeu sonnait faux sur toute la ligne et les chasseurs aguerris s'en détournaient comme d'une proie trop facile pour être saine, trop docile et consentante pour satisfaire leur désir de conquête, se flatter l'ego disproportionné du mâle dominant, jouir du combat davantage que de la prise qui différait peu d'une chasse à l'autre.

Elle buvait trop et trop vite, calait verre après verre, s'esclaffait pour rien, gloussait comme une idiote lorsqu'un prédateur se penchait sur elle et jetait un œil dans son décolleté plongeant, attirait les plus insignifiants plutôt que de les fuir comme avant, mais pourquoi donc ? sinon pour étancher une soif sans fond d'absolu qu'elle dissimulait mal sous ses allures racoleuses, pour s'engourdir, se geler, ne pas souffrir de sa sensibilité à fleur de peau, pour surnager plutôt que de patauger, de couler corps et âme dans ses eaux troubles, alors elle s'agrippait à son verre, au bras d'un inconnu qui feignait de croire à son jeu et lui payait la traite en espérant un retour sur son investissement, qui jouait des biceps et des pectoraux pour l'impressionner, prouver qu'il pouvait la soulever d'une main et aussi la faire planer, peut-être aimerait-elle tâter sa masse musculaire et en constater par elle-même la dureté ? a proposé le viril imbu de sa personne qui bombait le torse, se gonflait et prenait la pose pour la faire rire, alors qu'auparavant il se serait mérité une sacrée taloche suivie d'une engueulade salée servie par personne interposée, en l'occurrence moi qui étais toujours prêt à lui servir de porte-parole lorsqu'elle en avait besoin pour son numéro de ventriloque, de bouc émissaire aussi, car ça en prenait un, après, pour assumer à sa place les conséquences !

Mais ce soir, elle flattait l'homme dans le sens du poil, buvait encore pour s'anesthésier les sens, s'embrouiller les esprits, s'appuyait sur la poitrine de l'animal en rut, s'y accrochait comme à une bouée alors qu'elle était en pleine dérive et que c'était d'un port d'attache dont elle aurait eu besoin, et elle en aurait un ! à l'abri des récifs et des tempêtes, si elle avait jeté son ancre dans ma baie tranquille plutôt que de mettre les voiles, de fuir au large avec sa mère instable, gelée et tourmentée.

De temps en temps, elle regardait dans le miroir et glissait sur moi sans sourciller comme sur un corps étranger qui ne se distinguait en rien des autres qui se pressaient et s'agglutinaient jusqu'à ne former qu'une masse informe grise et compacte, mais pourquoi m'en étonner ? car elle m'avait connu les cheveux pâles, courts et bouclés, grand et costaud, fait comme un homme mais pas un poil au menton, alors qu'aujourd'hui j'avais la barbe forte et longue de deux semaines, les cheveux foncés noués en queue de cheval sur la nuque, et troqué ma sempiternelle chemise blanche lavée la veille mise à sécher la nuit reportée au matin avec mon pantalon noir usé mais toujours bien pressé après une nuit passée à plat sous le matelas de mon lit simple, contre un t-shirt noir ample et fripé, et un jean délavé qui pochait aux genoux plus approprié pour la rue que pour le *crusing bar*, si je me fiais à l'allure des accoutumés de l'endroit qui s'affichaient chics et décontractés, le veston cher coupé sur mesure mais déboutonné, faussement négligé, la cravate assortie mais le nœud lâche exprès, la barbe longue mais seulement de deux jours pour aguicher sans rebuter la gent féminine qui leur succombait mais m'ignorait comme si je n'y étais pas, mais ça m'était égal, car je n'y étais que pour régler mes comptes en souffrance avec celle qui se regardait jouer dans le miroir et que je ne lâchais pas des yeux, prêt à l'observer le temps qu'il faudrait pour découvrir la faille dans son masque, apercevoir l'erreur dans son jeu et la surprendre en flagrant délit de naturel.

Lorsque le bellâtre qui l'assiégeait s'est dirigé vers les toilettes pour soulager sa vessie pleine, elle en a profité comme d'un court entracte dans son numéro de femme fatale pour respirer, a soupiré d'aise, mis bas son masque et s'est affaissée, éteinte, les traits tirés, triste et morne, en oubliant que le miroir était devant tel un témoin gênant pour la refléter, trahir le relâchement de sa vigile, dévoiler ses fissures, me signaler qu'il était temps de sortir de l'ombre et de tenter une première percée.

— Une rousse pression, s'il vous plaît! ai-je commandé, debout dans son dos, penché au-dessus d'elle pour la humer.

Au son de ma voix elle a tressailli, comme si j'avais effleuré une corde sensible de sa mémoire auditive, et sous l'effet de ce long frisson qui l'a parcourue de haut en bas de l'échine, elle a dégagé une bouffée aromatique que j'ai inspirée profondément pour m'enivrer de son odeur de femme et me remémorer comment il était bon de mettre le nez dans sa chevelure, de poser les lèvres sur sa nuque, de lui mordiller l'échine aussi le lobe tendre et dodu de l'oreille, et bien que tenté de passer à l'offensive, je me suis freiné et j'ai retraité pour la voir se métamorphoser à l'approche du viril qui revenait des toilettes, se penchait sur elle, posait une main sur sa cuisse blanche, remontait haut sous sa jupe, l'embrassait sans retenue dans le cou, et si elle en souriait, se tortillait sur son siège et jouait le jeu, n'empêche qu'elle n'en frissonnait pas, la preuve qu'il n'éveillait rien chez elle, ni ne troublait sa chair qui demeurait froide à son contact, pire, elle se contractait!

mais lui n'y voyait que du feu, peut-être aussi s'en foutait-il, car il a calé d'une traite son verre et sans autre formalité, ni lui laisser le temps de terminer le sien, il l'a tirée dehors comme une traînée.

Je les ai suivis à distance, observant l'homme qui marchait vite, pressé d'arriver au but, peut-être aussi d'en finir ? alors qu'elle traînait de la patte, faisait son poids mort, inventait des prétextes pour le ralentir, tantôt c'était un caillou coincé dans son soulier qui lui blessait la plante du pied, qu'elle devait retirer, secouer, examiner sous toutes les coutures avant de le remettre, ensuite c'étaient les étoiles qu'elle voulait observer, la Petite Ourse qu'elle cherchait au sud plutôt qu'au nord, la Grande serait peut-être plus facile à repérer ? mais où donc était Vénus ? et Jupiter ? demandait-elle à l'homme qui n'y connaissait rien et s'impatientait, l'attrapait ferme par le poignet et la tirait, mais voilà qu'elle s'accrochait maintenant à ce lampadaire qui jetait sur eux son éclairage blafard, s'y enroulait, s'y frottait, se contorsionnait, roulait des hanches comme une mauvaise danseuse qui ne savait pas y faire, ridicule et pitoyable, plutôt que sensuelle et voluptueuse, poussant la provocation jusqu'à proposer à l'homme de la prendre là, en plein air, dans la lumière froide de cette fausse lune, question de commémorer le quinzième anniversaire de ses fiançailles ratées avec un innocent, une tête heureuse dans les nuages (voilà donc en quels termes elle parlait de moi !), qui lui avait promis une lune de miel sur un plateau d'argent mais l'idiot encore puceau ne savait pas y faire et restait planté là à la contempler, à l'idolâtrer comme une vierge qu'elle n'était plus depuis longtemps, prêt à tout lui pardonner et à tout croire, même à sa paternité ! puisqu'elle l'avait juré, le vrai portrait de son fêlé de père qui lui aussi y avait cru et l'avait regretté, j'aurais dû en tirer des leçons, retirer mes lunettes roses, regarder la face cachée de sa lune, car il y en avait toujours une ! noire, désertique et glacée ! a-t-elle hurlé, hystérique tout d'un coup, en rappelant que plutôt que de regarder derrière le miroir, de m'effrayer de sa noirceur, de la repousser, de m'en détacher comme elle le méritait, je restais accroché à l'image que je me faisais d'elle, incapable de m'en décoller, pour la contraindre à prendre les grands moyens pour se débarrasser de ma sangsue indésirable, jusqu'à mentir et m'accuser, me faire condamner pour un crime que je n'avais pas vraiment commis !

— Un… un sssim… ppple geste de… de com… passion ! a-t-elle reconnu pour la première fois.

L'homme qui l'accompagnait n'y comprenait rien, ni à son discours ni à son comportement, mais en profitait pour la peloter, l'embrasser goulûment dans le cou sans qu'elle oppose de résistance, ni ne regimbe ni ne participe non plus, indifférente on aurait dit à ce qu'il faisait, comme lui à ce qu'elle déblatérait, seulement pressé d'aboutir, mais pas ici, plutôt dans le funérarium comme elle l'avait promis, lui a-t-il rappelé en la secouant, le ton cinglant, le geste brusque avant qu'elle ne trouve d'autres prétextes pour prolonger indéfiniment les préliminaires qui avaient suffisamment duré, a-t-il décrété, car il bandait dur et raide, quasi sur le point d'éclater.

— Alors cette fois tu viens, salope ! a-t-il ordonné en l'attrapant d'une main ferme qui ne supportait plus ses faux-fuyants ni sa résistance passive.

Au lieu de le suivre, elle s'est laissée choir aux pieds du lampadaire pour le mettre en rogne, car il était trop tard pour en dégoter une autre facile capable de satisfaire ses envies, et pas question pour lui de changer le scénario, maintenant qu'elle l'avait fait fantasmer avec ses histoires d'embaumeuse ! a-t-il grogné en lui tordant un bras, mais plutôt que de s'en plaindre, elle s'en est moqué comme d'une bonne blague, s'est suspendue à son pantalon, puis à ses hanches jusqu'à déséquilibrer l'étalon qui s'est étalé de tout son long par terre à côté d'elle.

— Câlisse de folle ! a-t-il hurlé en lui administrant une sacrée taloche pour prouver qu'il était sérieux.

Mais elle riait aux éclats, la tête rejetée en arrière, la gorge offerte et vulnérable pour qu'il puisse y planter ses crocs, s'il en avait envie, et la saigner à blanc, le provoquait-elle, et l'homme était à un cheveu d'exploser et de passer à l'acte, lorsque j'ai décidé de sortir de ma cachette et de m'interposer entre elle et lui qui a regimbé pour la forme mais s'est rapidement calmé, s'est éloigné de quelques pas, a secoué la poussière sur son veston payé le gros prix et a rebroussé chemin, humilié et rageur, en lui lançant un regard méprisant et en crachant par terre pour montrer ce qu'il pensait d'elle.

— Tu… tu vvveux jouir du ssspec… tacle ? a-t-elle demandé, amère et ironique, en m'apercevant figé devant elle, à me demander d'où lui venait cet étrange besoin d'être prise par n'importe qui, comme du temps du tartarin qui n'y était pourtant plus pour la contraindre, ni sa camée de mère pour la vendre à son corps défendant, à ce que je sache, alors d'où ? et pourquoi ?

— Tttu veux peut-être m'a… m'achever à… à sa ppplace ? a-t-elle ajouté pour me sortir de mon mutisme, car je restais planté là, l'envie de pleurer sur elle qui ne l'aurait pas supporté.

— Vvva-t'en ! Sac… sacre ton… ton camp, d'aaaabord ! a-t-elle hurlé en se relevant et en titubant jusqu'à son château pour s'y enfermer avec ses morts.

D'une simple phrase, elle m'avait lavé, blanchi, avait effacé d'un coup le doute qu'elle avait semé, quinze ans plus tôt, dans mon esprit.

Il faudrait que quelqu'un la libère à son tour de son boulet et qu'elle se pardonne, se traite avec plus de compassion aussi.

Pour ma part, cette page était tournée.

Et je respirais.

Je respirais !

13

tu te prends pour qui ! dit la vieille

— tu te prends pour qui ! t'indignes-tu, le ton d'une vieille chipie que je ne te connaissais pas encore

— qu'est-ce que tu insinues ? je rétorque en soupirant comme un homme las de sa journée et aussi de sa femme

— pour le vieux loup gris, peut-être ? demandes-tu, sarcastique

— tu racontes n'importe quoi, vieille folle ! dis-je en haussant les épaules pour t'énerver

— pour son animal de père, alors ?

— qu'est-ce que tu inventes encore ? je m'étonne

— ou mieux, son géniteur !

— hé hé ! pas Dieu quand même pour prétendre être trois personnes en une ! je me moque exprès, l'espoir de t'amuser, de te désamorcer, mais tu n'en ris pas et je t'excède

— c'est ça, fais ton bouffon ! rétorques-tu, le ton aigre, prête à bouder et à me faire la tête

— tu te fais des idées, comme d'habitude, c'est lui qui…

— qui hurle à ta place, peut-être ? m'interromps-tu, qui allume cette flamme dorée dans tes iris qui n'ont jamais brillé de la sorte pour moi! qui lui balance des fistons larmoyants? un peu plus tu lui parlais de sa danseuse de mère, si je ne t'avais pas freiné l'élan oratoire!

— tu es jalouse, ma foi!

— pfff! cette fois c'est toi qui te fais des idées... n'empêche que cette étincelle dans ton regard, j'aurais aimé la voir s'allumer pour moi et la sentir m'embraser de désir

— tu oublies qu'il m'a sauvé la vie! mis K.-O. ces chacals qui voulaient abuser de tes cendres! il fallait bien l'en remercier!

— tu pousses la métamorphose trop loin, me semble...

— c'est lui, qui se cherche un père!

— de là à le laisser penser que tu as peut-être ensemencé sa dévergondée de mère... mais peut-être l'as-tu fait? me soupçonnes-tu, suspicieuse

— comment savoir?

— tu ne nies pas? t'indignes-tu cette fois

— bah, avec ma mémoire de gruyère...

— plutôt sélective, si tu veux mon avis... peut-être que ça te plaît de l'imaginer, aussi, mâle orgueilleux...

— l'important c'est que lui le croie! dis-je, sans nier que l'idée d'en être le père me plaît, et non celle d'avoir peut-être batifolé un jour avec sa conceptrice, devrais-tu comprendre

— à quoi tu joues? me harcèles-tu

— à rien! il a besoin d'un père, je suis en dû, qu'ai-je d'autre à offrir? sinon l'illusion que je le suis

— il a plutôt besoin d'en faire le deuil, et deux fois plutôt qu'une, si tu veux mon avis, mais tu t'en fous

— bof...

— reconnais donc que ça te plaît de jouer au protecteur, et pas seulement avec lui..., laisses-tu planer encore sans aller au bout de ta pensée, car tu préfères en laisser traîner le fil dans l'espoir que je tricote à ta place la corde solide avec laquelle me pendre

— qui d'autre ? je demande, faussement naïf, pour te laisser t'empêtrer à ma place

— hypocrite ! tu en connais d'autres que l'embaumeuse ?

— pourquoi parler d'elle et lier leurs cas ?

— parce qu'elle a aussi un deuil à faire, un cordon à couper, pour se débarrasser de son monstre ! mais pourquoi le faire ? ou solliciter l'aide d'un preux chevalier ? tant que tu y es, tel un bouclier protecteur sous lequel se réfugier

— tu fais allusion au cinéaste, peut-être ? pas convaincu qu'il est prêt à affronter les barbelés acérés et empoisonnés de la jeunotte, si tu veux mon avis, le pauvre a la fragilité à fleur de peau, avec cette histoire de suicide, à moins que le fantôme de sa fiancée qui lui tourne autour de la tête s'en mêle et plaide en sa faveur, car avec les âmes, l'embaumeuse n'a plus d'épines ni de défense, peut-être a-t-il une chance, après tout, mais bof, pas de mes affaires…

— le voilà, justement, qui arrive à grandes enjambées, l'air inquiet, mais sans son attirail pour te croquer le portrait sur le vif cette fois, peut-être pourrais-tu lui suggérer de…

— que me veut-il encore ? je l'interromps à mon tour, irrité

— sa présence te dérange donc ! peut-être es-tu jaloux et crains-tu de perdre ta place privilégiée auprès d'elle ?

— tu radotes, vieille folle ! ce sont plutôt ses questions indiscrètes qui m'horripilent ! le jeunot veut tout savoir sur mon histoire ! que j'explique qui je suis, d'où je viens, comment je suis tombé dans la rue, pourquoi j'y reste, et si j'en souffre, et patati et patata, comme si je le savais !

— tu pourrais lui parler de moi…

— toi ? pourquoi te mêler à tout cela et risquer de t'embêter à ton tour ?

— j'y suis quand même pour quelque chose, dans ton histoire, et tu ne peux pas prétendre m'avoir oubliée...

— c'est l'évidence, me semble ! sinon, tu ne serais pas exposée en permanence au creux de mon bras, pressée comme une amoureuse contre ma poitrine d'homme qui ne respire plus qu'à travers toi !

— ouais, plutôt comme une curiosité pour attirer l'attention sur ta petite personne autrement insignifiante, tu veux dire ! car sans mon urne pour provoquer, tu passes inaperçu et ne te distingues en rien des autres sans-abri sans-génie sans rien du tout qui pullulent dans le quartier !

— mais tu sais bien que je t'aime ! je le crie sur les toits ! même sur le parvis de l'église ! que veux-tu de plus ?

— tu oublies qu'avant d'être réduite en cendres j'étais de chair, et vivante ! pourquoi ne pas le crier, ça aussi ? et aussi rappeler que notre histoire ne date pas d'hier, non plus de six mois ! mais il faudrait que tu reconnaisses que tu es bel et bien le jeune séminariste qui m'a jadis séduite, engrossée, et après rejetée au nom d'un amour supérieur, divin plutôt que charnel, mais seulement après avoir croqué mon fruit défendu pour après me laisser seule avec les pépins, comme un mâle égoïste et sans cœur ! pourquoi ne pas lui raconter ce pan de ton histoire ? il en déduirait que ce sont les remords qui t'ont tourmenté et grugé, tel un cancer de l'âme, jusqu'à te réduire à néant et te précipiter dans la rue...

— quelle importance que je le sois ou non ? peux-tu le dire et éclairer ma lanterne ? pourquoi ne pas aller direct au but au lieu de tourner autour du pot, d'enrober, de prendre des détours comme une femme tortueuse et sinueuse qui sait où elle va mais le tait pour embrouiller et piéger son homme

— c'est évident, me semble ! pas besoin d'être une lumière pour comprendre que si tu ne l'es pas, ce séminariste boutonneux, mais beau comme un dieu, plutôt un pauvre pastiche, un contenant vide, un caméléon qui vire au vert sur une feuille et au brun sur la terre, ça signifie que je reste ici, coincée dans cette urne, en suspension entre deux mondes, pour rien ! à faire mon purgatoire sur terre alors que j'y ai déjà vécu l'enfer et mérité de monter direct au paradis et d'y trôner ! tout ça pour te combler le vide intérieur ! moi ou une autre, quelle importance ? s'il y en a une pour te remplir l'espace autrement vacant, c'est ça ? reconnais-le donc, une fois pour toutes, sinon nie tout en bloc, car cette idée, je n'en peux plus de la retourner en tous sens sans trouver de réponse, le comprends-tu, mâle égoïste, que j'ai besoin de certitude ? le comprends-tu ?

— mais si je dis que je le suis, ce séminariste, ce lâche qui a abusé de ta jeunesse avant de te plaquer telle une traînée, il me faudra après vivre avec un fardeau lourd de remords sur la conscience ! je préfère croire que je suis le chanceux sur lequel tu as jeté ton dévolu pour conclure ta vie de femme sur une histoire d'amour avec un grand A ! pourquoi en faire un drame ? quelle importance que je le sois ou non ? si je t'ai rendue heureuse plus de six mois avant d'en mourir, si j'y suis encore pour célébrer haut et fort, comme dans le bon vieux temps, tes charmes exquis de Sulamite ?

— le bon vieux temps ? tu reconnais donc que tu l'es ! insistes-tu pour me coincer

— bof, si ça te plaît de le penser, dis-je en haussant les épaules et en déposant un baiser distrait sur ton urne avant de t'enfouir au fond de la large poche de ma redingote sans me soucier de tes jérémiades pas plus que de tes plaintes légitimes, lorsque tu aperçois les restants de mon lunch d'hier, mais j'ai besoin de mes deux bras pour accueillir le cinéaste qui s'y précipite comme un familier qu'il n'est pas, mais s'il en a besoin!

— ce matin, tu fais la une! déclare tout de go le jeunot excité pour deux qui me tombe sans préavis dessus

paraît qu'on m'y voit en gros plan, dans le journal et sur le Web, et ton urne aussi! pressée comme une femme aimée sur mon cœur d'hurluberlu qui ne bat que pour toi, ma vieille cendrée, qui ne devrais pas en douter mais boudes quand même au fond de ma poche, les photos prises à mon insu par un inconnu pendant que je quémandais, que je tanguais comme un bateau ivre, que je somnolais sous un portique, que je déclamais haut et fort tes charmes, juché sur le parvis de l'église ou ailleurs, même un cliché de toi, ma Sulamite! belle et resplendissante, penchée à la fenêtre trompe-l'œil de notre conteneur fraîchement repeint, un plan pour attirer les curieux qui auront vite fait de nous repérer et aussi de nous harceler, s'ils nous y trouvent, lovés et endormis comme deux tourtereaux

— peut-être serait-il temps que tu songes à te reloger ailleurs, si tu ne veux pas être harcelé par les paparazzi de tout acabit…

— bah! dis-je, insouciant

— ou visité par des curieux de te voir de visu, de t'observer de près comme une curiosité de plus, un animal sauvage au zoo…

— bof!

— il en va de ta sécurité, et aussi de ta liberté d'errer à ta guise! dit-il pour me secouer

— qui vivra verra! dis-je faussement indifférent, car cette fois il a visé dans le mille

— sans compter qu'il y en aura à s'offusquer de ta présence, à vouloir te chasser comme un indésirable, même pour proposer de t'exterminer! soulève-t-il pour me convaincre

— et où aller?... à l'hôtel, peut-être? répond mon sarcastique

car pas question de déménager mes pénates ailleurs! j'ai mes habitudes ancrées ici, je connais la ville sur le bout des pieds, les rues et les ruelles comme le fond de ma poche, les visages sont familiers, les allées et venues sont prévisibles, et contrairement à ce qu'on en pense, je ne suis pas changeant de nature, non plus nomade, plutôt du genre fidèle et sédentaire, mais sans besoin de toit non plus de cloisons fixes pour me délimiter un périmètre, les remparts de pierre qui encerclent la vieille ville et protègent son cœur historique, tout comme le mien qui bat à son rythme urbain, sont plus que suffisants, j'y ai des attaches solides et des racines profondes, tout ça pour dire qu'une transplantation serait fatale, devrait-il comprendre, car ma zone de rusticité est ici, et si jamais j'en crève tant pis, de toute façon je suis trop vieux pour m'adapter ailleurs, un point c'est tout, conclus-je en le plantant là comme un ingrat que je suis, car le jeunot ne voulait que mon bien, mais il ne l'aura pas! pas plus qu'un autre! je le décide une fois pour toutes en m'éloignant, le pas léger et sautillant pour chasser ses inquiétudes de cinéaste plus à l'aise dans le drame que dans la comédie, j'en ai l'impression

— laisse-moi partir! murmures-tu, la voix éteinte et chevrotante d'une vieillarde pour m'affaiblir la détermination, alors que je suis déjà vulnérable, étendu aux côtés de ton urne, recroquevillés que nous sommes comme des inséparables dans notre nid douillet

— pourquoi? tu n'es plus bien avec moi? demande mon sceptique, étonné de cette proposition, car avec le cinéaste tantôt, il était question de mon départ et non du sien, me semble

— j'en ai assez, je veux avoir la paix

— la paix? tu ne la trouves donc plus dans mes bras de Salomon épris, amoureux fou sans condition, hier de ta chair aujourd'hui de tes cendres! ma flamme incandescente dressée en permanence pour t'honorer, personne pour l'éteindre! de la place vacante en masse dans mon cerveau de sans-génie où t'étendre, prendre tes aises et toute la place, si tu le veux je le veux aussi! dis-je pour te chasser cette idée folle de la caboche

— bof..., laisses-tu exprès en suspens pour m'inquiéter

— bof? bof quoi? je demande, quitte à recevoir ta vérité brute en pleine face, plutôt que de rester comme un idiot dans le vague à me ronger les sangs, avec ton épée de Damoclès suspendue au-dessus de la tête

— si je n'y étais pas, il y en aurait moins à te tourner autour...

— ça c'est vrai, tu les attires! un vrai rayon de miel! mais je suis le seul ours à en profiter! dis-je pour te flatter, t'amadouer

— celui qu'on va piéger et abattre aussi, vieux fou! finis-tu par avouer, préoccupée comme une femme éprise de la sécurité de son homme

— si tu pars, je pars aussi! pourquoi, d'ailleurs, j'y resterais? si tu n'y es plus pour t'abattre sur moi comme une tempête tropicale et me réchauffer l'air ambiant plutôt frisquet en automne, pour me prendre dans l'œil de ton cyclone, pour me soulever de ta vague écumeuse et me laisser sur la langue le goût salé de ta mer intérieure, pour m'enivrer comme un homme soûl de t'avoir bue jusqu'à la lie... demain, ou après-demain, j'expire et... euh... te rejoins sur ton nuage blanc cotonneux où il fera bon voler et siffloter l'éternité en compagnie de ton oiseau du paradis ! dis-je d'une traite pour t'attendrir

— et l'embaumeuse ? et l'enfant prodigue ? et le cinéaste ? tu y penses ? tu as soulevé des espoirs, des attentes aussi, moi je n'en ai plus… ni l'envie d'avoir ta mort sur la conscience et de m'en sentir coupable l'éternité, objectes-tu, vieille égoïste, pour me rabattre le caquet et me décevoir

— c'est donc ton sort qui te préoccupe et non le mien ! rétorque mon susceptible qui, décidément, ne comprend rien aux femmes

— ils sont liés, me semble ! je te rappelle que si je brûle au purgatoire ou en enfer, il en sera de même pour toi… à moins que tes belles promesses de me suivre là où j'irai ne soient que des paroles en l'air de séducteur qui dit ce qu'il faut pour plaire mais recule le moment venu de s'engager…

— tu sais bien que non !… donne-moi seulement quelques jours pour les décevoir et leur donner l'envie de tourner d'eux-mêmes ma page

— tu le dis, mais le feras-tu ? soupires-tu, l'air d'en douter

— si je te le jure !

— je voudrais te croire…, souffles-tu, l'air harassé me semble

— parole de Salomon ! dis-je, la main sur le cœur

— pfff…

14

La princesse avariée

Où donc aller se cacher lorsque le monstre est à l'intérieur, tapi dans les replis de son cerveau? Et comment s'en protéger? Lorsqu'il se pointe là où et quand bon lui semble pour la terroriser, pour lui faire perdre la tête, de jour comme de nuit. Lorsqu'il surgit à l'improviste, même dans son laboratoire, son antre sacré! Qu'il s'interpose comme un indésirable, un démon maléfique, entre elle et ses cadavres pour les épouvanter et compromettre leur embaumement.

Comme celui de cette quinquagénaire, foudroyée par un infarctus, qui devrait être relativement simple, *en temps normal.* Mais il ne l'est plus! Il tourne à l'envers, emmêle le présent et le passé, recule plutôt que d'avancer, depuis que le tartarin y est, logé dans ses abysses, à projeter en continu et sans pause son film d'horreur, tourné il y a quinze ans, dans lequel elle tient le premier rôle. Et voilà qu'au lieu de se détendre sous la caresse de ses doigts, le corps de la femme se crispe. Qu'au lieu de circuler librement, les fluides injectés se figent pour compromettre les opérations de drainage et de réhydratation. Qu'au lieu de s'étioler et de disparaître, tiède et évanescente, l'aura durcit sa position et se referme, telle une gaine dure, bleutée et froide, autour de la dépouille. Même les effluves dégagés sont plus aigres, plus fétides. Et l'âme de la morte, plutôt que de s'élever en paix, gémit et se lamente, comme si elle la torturait plutôt que de la soulager.

Au Moyen Âge, on aurait fait venir un exorciste pour conjurer l'esprit malfaisant! Et le curé l'aurait chassé à coups de crucifix, de cierges et d'eau bénite. Aujourd'hui, si elle demandait de l'aide, on l'internerait, on la médicamenterait, on la psychanalyserait. Peut-être qu'on s'en moquerait aussi. Car il n'y en a plus pour croire à l'existence et aux pouvoirs des âmes. Non plus au combat entre les forces du bien et du mal qui s'affrontent jusque dans son laboratoire. Mais comment expliquer autrement que les cadavres qui reposent sur sa table de travail désormais se révulsent?

Il n'y a qu'en présence du clochard et de sa vieille cendrée qu'elle trouve la paix. Comme si l'innocence, la naïveté de l'homme lui faisaient un bouclier protecteur que l'âme noire et malveillante du tartarin est incapable de franchir. À moins que ce soit la vieille qui tienne le démon à distance, telle une mère protectrice qu'elle n'a jamais eue, envisage-t-elle pour la première fois. Peut-être aussi n'est-ce que la force de leur alliance, célébrée à travers le *Cantique des Cantiques*, qui le rebute, comme l'ail éloigne les vampires. Car le tartarin n'a jamais cru à l'amour. Seulement au pouvoir de l'argent, à l'attachement intéressé. Seulement à l'usage de la force, à la contrainte, au jeu malsain de la domination et de la soumission. Il était donc allergique à toutes démonstrations d'affection et s'en moquait, s'en défendait aussi, surtout si elles étaient sincères. Il préférait nier l'existence de l'amour que de se croire dépourvu de la capacité d'aimer, de se voir trop monstrueux pour être aimable.

Que va-t-elle devenir, si même ses cadavres ne veulent plus d'elle et s'effraient de la présence de cet ange déchu installé dans son cerveau d'embaumeuse ? Que va-t-elle devenir ? Rien d'autre importe pour elle ! Et ce château, cette ancienne prison, elle y est attachée, liée à tout jamais, à force d'y consoler des âmes en peine, de les aider à naître ou à renaître, ça dépend des croyances, en leur permettant de couper le fil ténu qui les relie encore à leur enveloppe terrestre. Sans exorciste, elle est foutue. À moins de mettre son laboratoire et tout le château sous la protection du clochard et de sa vieille cendrée, songe-t-elle.

— *Tabarnac ! T'es rendue bas ! Te mettre sous la protection d'un hostie de sans-abri ! Un fêlé du ciboulot, pas une crisse de cenne, pis qui pue la marde ! Wow ! Moé, au moins, je me lavais pis je me changeais. En plus, je t'aurais payé du linge de fille à rendre jalouses toutes les autres, si t'avais pas levé le nez sur moé pour t'acoquiner avec la face de lune. T'as pas fini de le regretter, ma salope !* la menace-t-il.

Le vicieux projette de lui en faire voir de toutes les couleurs, la nuit prochaine ou celle d'après. Cette fois, il ne lui laissera pas de chance. Il va planter ses crocs dans sa chair avariée, la déchiqueter, la dévorer toute crue de la tête aux pieds, la réduire en bouillie, la digérer et finalement l'éliminer, comme un résidu corporel. Il s'en pourlèche à l'avance les babines, à l'idée de se l'offrir en sushi au prochain cauchemar.

Le clochard n'y est pas, à quêter sur son coin de rue, comme d'habitude. Plutôt une gang de gothiques qui prétendent y être, installés à sa place, avec sa bénédiction. Il n'est pas non plus à placoter et à fumer avec les potes qui font la queue devant la porte de la soupe populaire. Non plus à roupiller sous un arbre, sur un banc ou sur le parvis de l'église pour profiter des derniers jours de beau temps et de la chaleur de l'été indien. Ni terré à l'abri dans son conteneur fraîchement rénové, s'assure-t-elle en soulevant le lourd couvercle qui grince. Le matelas et l'oreiller douillets confisqués en douce dans un cercueil n'y sont pas non plus. Peut-être a-t-il levé le camp ! s'inquiète-t-elle. Mais pour aller où ? se demande-t-elle en regardant du côté de la vieille, penchée à sa fenêtre trompe-l'œil. Étrangement, son sourire de Joconde s'est affaissé et ses paupières tombent, lourdes, comme si elle se préparait à les fermer. Peut-être la pluie a-t-elle fait couler la peinture pourtant garantie à l'épreuve de l'eau et des intempéries. Elle décide de s'asseoir là, sous le regard protecteur de la vieille, et d'attendre, tremblante tout à coup à l'idée que le clochard l'ait abandonnée.

— Princesse ?... euh... quel bon vent ? demande-t-il, étonné de la découvrir dans son fond de cour, appuyée à la paroi métallique de son conteneur et à demi endormie, la preuve qu'elle l'y attend depuis des heures.

— On... on dddirait que tuuuu te prépares ààà par... partir ! dit-elle tout de go en bondissant sur ses pieds, sans bonjour ni comment ça va d'usage, directe au but comme à son habitude.

— Bah ! répond le clochard, évasif, en haussant les épaules et en se grattant la nuque, l'air mal à l'aise.

— Tu... tu vvvas où ? demande-t-elle, car elle ne doute plus qu'il en a l'intention.

— Oh là là ! Beau temps pour... euh... s'envoler ! déclare-t-il en montrant du doigt un voilier d'oies blanches se découpant dans le ciel bleu et sans nuages, qui caquettent fort, comme s'il cherchait à la distraire de son sujet.

— Tu chchch… cherches un… un endroit plus… plus chaud pppour l'hiver, peut… peut-être ? demande-t-elle, en reprenant espoir, car si c'est le cas, elle pourra lui proposer d'occuper un coin de son château.

— Bof ! pas moi qui décide ! réplique-t-il en désignant l'urne de la vieille.

Il faudra donc la séduire elle, plutôt que lui, et aussi abuser de son talent de ventriloque pour le convaincre après d'abonder dans le même sens, décide-t-elle.

— Pour… pourquoi pas aaaller ca… ssser la… la croûte au… au Château ? propose-t-elle, pour appâter la vieille, car le clochard lui a raconté l'y avoir déjà emmenée, un jour, pour lui chanter la pomme et la combler comme une reine qu'elle était à ses yeux de Salomon épris.

– L'hô… l'hôtel, niiiiaiseux, pas… pas llllle funérarium ! ajoute-t-elle en surprenant son regard interrogateur rivé sur elle.

Ça fait plus de deux heures qu'ils y sont, à bouffer tout ce qu'il y a au menu, à boire du champagne, à célébrer les charmes de la belle Sulamite qui trône au milieu de leur table sise devant une large fenêtre avec une vue plongeante et panoramique sur le fleuve, à discourir de tout et de rien, à badiner, à dérailler aussi, les propos décousus et anarchiques. Et maintenant à digérer, à roter sans s'excuser, à se flatter la panse pleine et gonflée, à bâiller la bouche grande ouverte sans main devant, à somnoler et à cogner des clous, la tête renversée sur le dossier du siège trop confortable. Et bientôt à roupiller et à ronfler, si elle ne se décide pas à aborder le sujet litigieux et à lui faire sa proposition indécente d'égoïsme, de s'installer dans son château avec sa reine et, du coup, de déployer sur elle leur bouclier protecteur. Mais comment faire sa demande pour qu'il y trouve son compte, et la vieille aussi ? Et surtout, pour qu'il n'ait d'autre choix que de dire oui.

— Pardon princesse... euh... l'envie de... euh... me dégourdir, voilà ! dit le clochard en se levant et en se dirigeant vers les toilettes, lui laissant ainsi quelques minutes pour y réfléchir.

Lorsqu'il en revient, elle remarque qu'il a le pas plus lourd et traînant que d'habitude. La démarche saccadée aussi. Un léger décalage de rythme qui brise l'harmonie naturelle des mouvements. L'homme-loup avait la même démarche désynchronisée, la même allure déjantée. Il aurait à peu près le même âge, s'il n'avait pas été balancé dans la rivière, quinze ans plus tôt. Bien que sa dépouille n'ait jamais été retrouvée, songe-t-elle. Elle se secoue, chasse cette idée farfelue. De toute façon, les hurluberlus de ce genre ne se ressemblent-ils pas tous ? Elle s'étonne quand même de ne pas avoir remarqué plus tôt la ressemblance frappante entre les deux hommes. Faut croire que le fait de les avoir aperçus côte à côte la nuit des sans-abri, l'homme-loup, face de lune et lui, debout côte à côte sur le parvis de l'église, a ravivé des souvenirs enfouis profond dans sa mémoire.

— Mon pacha rêve de... s'étendre, voilà ! mille mercis... euh... princesse ! dit le clochard sans se rasseoir, pressé de partir, l'envie soudaine de dormir, peut-être aussi besoin de solitude.

— Pourquoi ne pas aller se chanter la pomme sur les Plaines, et qui sait, se la croquer..., laisse-t-elle en suspens exprès pour le tenter, la voix mielleuse et suggestive qui semble venir de l'urne pour étonner le serveur qui en laisse tomber son addition, et amuser le clochard incapable de refuser quoi que ce soit à la vieille ingénue, qui n'y voit que du feu et sourit de toutes ses dents jaunies, tant la perspective le réjouit.

Il en oublie son désir de roupiller en paix, se courbe devant l'urne déposée en plein milieu de la table, la soulève, la serre sur sa poitrine et se précipite déjà, l'allure fière et noble du roi Salomon avec sa Sulamite que même la mort ne peut séparer. Cet amour inconditionnel est à la fois sa force et son talon d'Achille, songe-t-elle.

Elle lui colle aux talons toute la journée, donne la parole à la vieille plus souvent qu'à son tour, en usurpe la voix, la personnalité, les sentiments aussi. Elle disparaît derrière son personnage qui s'amuse, qui babille, qui fredonne et chantonne, tantôt des opérettes, après des ballades, puis du fado, même une rengaine d'une autre époque – *parlez-moi d'amour, redites-moi des choses tendres, votre beau discours, mon cœur n'est pas las de l'entendre, pourvu que toujours, vous me disiez ces mots suprêmes, je vous aime* – pour après s'en surprendre. Car elle n'a pas souvenir d'en avoir appris les paroles, ni même entendu l'air. Peut-être sa grand-mère la lui a-t-elle chantée un jour, pour combler les lacunes de sa camée de mère toujours gelée. Le clochard, lui, s'en émeut, les larmes aux yeux. Car la vieille la fredonnait à l'occasion, de son vivant, explique-t-il. Un plan pour la faire douter d'être l'âme pensante dans cette histoire ! Une voix mise au service de la morte qui n'en n'a plus pour enchanter son homme ! L'étrange impression, tout à coup, d'être l'outil plutôt que l'artisan, que c'est la vieille plutôt qu'elle qui mène le jeu.

L'homme se réjouit tellement de la verve de sa belle qu'il en oublie sa présence d'embaumeuse à son bras. Qu'elle est auteure plutôt que souffleuse des répliques qui l'allument. Il échange librement des propos libidineux avec sa Sulamite chérie qui glousse et roucoule, voluptueuse à souhait, grâce à elle. Faut dire qu'elle y met du sien pour qu'il y croie dur comme fer, jusqu'à les confondre et n'avoir d'égards et d'attentions que pour l'urne qu'il étreint, amoureux fou d'un tas de cendres, peut-être aussi du souvenir encore frais de la chair défraîchie de la vieillarde contre la sienne.

— Adieu ! dit-il brusquement en bifurquant sans préavis vers la ville, l'intention ferme cette fois de la quitter.

— Pppour… quoi pas venir au… au fffu… nérarium ? bégaye-t-elle en se plantant devant lui et en rougissant comme une tomate.

Un plan pour semer la confusion dans l'esprit de l'homme qui pourrait en conclure qu'elle a des vues sur lui et des intentions cachées derrière la tête. Alors qu'elle ne cherche que sa protection. Le clochard en reste figé et bouche bée, mal à l'aise, comme elle le craignait. Elle regrette déjà son invitation trop directe, trop crue. Il aurait fallu plus d'emballage, plus d'enrobage, plus de détours et de délicatesse aussi. Mais la subtilité n'est pas son fort. Elle est plutôt sèche, aride et piquante comme un cactus. Pour se reprendre et détourner d'elle l'attention du clochard, la voilà qui fait miroiter les litres de vin qui n'attendent que d'être bus, la caisse de bière qu'elle peut acheter au dépanneur, s'il préfère, des sacs de chips et des nachos aussi, s'il en a le goût !

— Mêêême des… des cercueils vvvides où… où s'é… tendre ! ajoute-t-elle en espérant le faire rire et le sortir de son mutisme.

Mais il n'en rit pas. Plutôt, il s'en trouble davantage, décline poliment la proposition, prétexte mal dormir ailleurs que dans son conteneur, salue d'un geste ridicule de la main et poursuit son chemin, quasi au pas de course, tant il a hâte tout à coup de rentrer chez lui, de lui échapper.

Le clochard n'a pas sitôt tourné le coin de la rue, disparu de son champ de vision, que le tartarin revient à la charge pour l'effrayer et se projette dans le regard d'un inconnu qui avance vers elle, le pas nonchalant. L'étranger la détaille comme une tranche de viande appétissante et tendre à souhait qu'on peut dévorer froide, crue et saignante en tartare. Nullement besoin d'apprêts non plus de cuisson. Sans plus réfléchir, elle se lance à la poursuite du clochard et lui emboîte le pas, le suit comme une ombre minuscule et discrète qu'il ne remarque même pas. Peut-être feint-il de l'ignorer, en espérant qu'elle décollera sans avoir à la chasser. Mais elle est terrorisée à l'idée de retourner seule dans son antre désormais hanté par le monstre. Tout comme par la perspective d'errer telle une proie solitaire et facile dans la rue. Telle une brebis galeuse dont le fils du loup, affamé de vengeance ou assoiffé de pardon, pourrait ne faire qu'une seule bouchée.

Le clochard s'immobilise devant l'entrée de sa ruelle en cul-de-sac, entrouvre sa redingote, baisse sa braguette, s'apprête à soulager sa vessie pleine contre le muret de pierre. En tournant la tête, il surprend son regard de femme rivé sur lui. D'un coup sec, il rabat les pans de son manteau. Il fronce les sourcils, croise les bras, l'observe, songeur, l'air de chercher quoi en penser, et surtout quoi dire. Comme une idiote, elle banalise, se moque de sa pruderie, rappelle qu'elle en a vu d'autres, de toutes les sortes et dans tous les états, vulgaire exprès. Mais pas la sienne ! objecte-t-il en la priant de s'éloigner et de détourner la tête, pas seulement les yeux. Elle hausse les épaules et s'exécute. Le clochard se dévide à petits jets abrupts hachurés, privé d'intimité, mais incapable de se contenir plus longtemps.

Quand il en a fini, elle s'avance vers lui, esquisse un sourire qui dégénère en grimace, prise tout à coup d'une envie de pleurer qu'elle refoule, qu'elle ravale de travers, un nœud dans la gorge.

— Yyy a de... de la place pppour deux, là... là-dedddans! dit-elle en désignant le conteneur.

Car s'il ne vient pas chez elle, elle s'installera chez lui! Trop peur d'y retourner seule. Trop peur aussi qu'il en profite pour décamper durant la nuit et n'y soit plus le lendemain pour la protéger, ni le surlendemain ni jamais.

Lui se dandine, regarde ailleurs, là où elle n'est pas, lève les yeux au ciel et y reste accroché, pour ne pas tomber avec elle, suppute-t-elle. Il reste ainsi de longues minutes, la tête perdue dans les nuages qui s'accumulent, éteignent une à une les étoiles, la lune aussi. Une fois tous deux plongés dans la nuit noire, il la congédie poliment:

— Bonne nuit... euh... princesse... demain est un autre jour... je le crois... et l'espère... bof, on verra bien! dit-il en se dirigeant vers son conteneur.

Au lieu de partir, comme il l'y invite, elle se précipite et se plante devant lui, comme un obstacle incontournable. Le clochard soupire, fixe le bout de ses souliers. Elle s'approche jusqu'à le frôler pour l'aguicher, pour le piéger. Le ridicule espoir qu'il la garde avec lui, qu'il la prenne corps et âme, s'il le veut. Lui, plutôt que le tartarin, plutôt que le fils du loup. L'homme observe son manège, s'en étonne sans s'en offusquer, mais n'embarque pas avec elle. Il serre plus étroitement l'urne de sa vieille, lève de nouveau les yeux au ciel, cherche des étoiles qui n'y sont plus, pour signifier qu'il refuse de plonger et de couler avec elle. Alors elle revient à la charge, se fait féline, miaule, ronronne, se frotte contre lui, prête à tout pour se l'attacher d'un lien indéfectible, pour bénéficier comme la vieille cendrée de sa protection inconditionnelle. Le clochard pose ses pattes d'ours sur ses épaules, la repousse, la maintient à distance, l'empêche d'avancer mais aussi de fuir. Il la tient ainsi longtemps, à bout de bras, la dévisage, la scrute avec intensité comme tantôt le ciel, n'y trouve rien qui scintille. Son éclipse est totale.

— Une princesse mérite... euh... plus charmant et propre aussi... qui sent bon la lavande... le cèdre peut-être?... mais bof, question de goût... s'il chevauche et cavale et... euh... cherche une princesse à lever... oups!... à aimer aussi, oh là là! pour sûr! dit-il dans l'espoir de l'allumer et de la distraire de lui, déjà engagé avec la vieille.

— «Viens paître dans mon champ! viens humer mon lis! car je suis à mon chéri et mon chéri est à moi; pour lui s'ouvre ma corolle!» déclame-t-elle pour semer la confusion dans son esprit, car à ce jeu elle est habile.

L'homme se trouble, détourne la tête, recule d'un pas, la libère de l'entrave de ses pattes d'ours. Elle en profite, se précipite sur lui et se presse, se frotte contre sa poitrine d'homme. Cette fois, il l'enlace, il l'étreint, il respire fort. Puis tout à coup, il se ravise, s'en défend, la repousse brusquement, tant l'effort pour s'en détacher est important. Mais elle a senti son désir d'homme et le lui fait savoir, sans prendre de détour, ni recourir à la vieille, par décence.

— Pooour... quoi pppas? T'en mmmeurs d'en... d'envie!

— Mon ours mal léché bande... euh... pour une reine, mûre et sucrée, celle-là, oh là là!... pour une princesse... euh... la fleur de cactus épineuse... et surette aussi... ça prend un jeunot, la flamme ardente et... l'appétence fiévreuse... euh... cinéaste, peut-être... mais bof... pas de mes oignons, quand même... princesse...

— Arrête! hurle-t-elle. Arrête de dire princesse! C'est pas parce qu'on vit dans un château qu'on l'est! Pis c'est pas parce que c'est devenu un château que c'est pas une prison! Y en a combien, tu penses, de princesses qui ont regretté de l'être, pis qui l'ont payé de leur liberté, de leur vie? Mortes d'ennui, mortes de soumission, mortes d'abus, mortes assassinées, mortes tout court. Y en a combien, tu penses, qui errent encore comme des âmes en peine dans leur château imaginaire, à attendre l'hostie de chevalier servant qui ne se pointe pas, qui ne se pointera jamais pour les libérer? Peut-être qu'elles le méritent pas non plus. T'as déjà pensé à ça? Parce qu'il y en a! Des princesses déchues, des princesses sans cœur, des princesses laides et méchantes, même des princesses avariées, déclare-t-elle par urne interposée pour ne pas bégayer.

— Pas avariée, princ… euh… courtisane, c'est mieux, peut-être? bof… en tout cas, meurtrie, ça oui! oh là là! proteste le clochard en la dévisageant plutôt que l'urne de la vieille cendrée dont semble provenir ses paroles.

— Un fruit pourri! avec un ver qui gruge et pond ses œufs à l'intérieur! Tellement avariée que même un clochard de ton genre lève le nez dessus, refuse de croquer dans sa pomme! rétorque-t-elle en s'effondrant aux pieds de l'homme.

Il s'en émeut, tend une main vers elle, mais refrène son geste. L'air penaud, il se dirige vers son conteneur, soulève le couvercle, pénètre à l'intérieur et s'y enferme, avec l'urne de sa vieille.

— Y a pas juste les princesses qui souffrent d'être en prison! Les reines aussi! Même Sulamite, qui croupit dans son urne parce que son Salomon ne se décide pas, ni à la rejoindre ni à couper le cordon. Trop lâche pour en mourir, trop lâche pour lui survivre! l'attaque-t-elle, pour se venger d'être plantée là, comme une traînée, une moins que rien.

Cette fois, elle y est allée fort. Trop fort peut-être, comme si elle avait voulu lui prouver jusqu'à quel point elle était avariée. Le clochard ne réplique pas, ne s'en défend même pas. Elle se précipite sur le conteneur, martèle le couvercle.

— Ouou... vvvvre !

Elle colle l'oreille sur la paroi métallique.

— C'est donc vrai, tu veux partir ? l'entend-elle marmonner.

Ça ne sert à rien de rester à attendre. Il n'ouvrira pas. Peut-être demain, ou après-demain, si elle le supplie, ou s'il oublie. Sinon, ça lui fera un poids mort de plus sur la conscience. Comme si elle n'avait pas déjà son quota ! Elle se relève, retourne à son château affronter le tartarin. Elle l'entend déjà qui aiguise ses crocs, les fait claquer, pressé de les planter dans sa chair de princesse avariée. Cette fois il va la dévorer jusqu'à l'os, la sucer jusqu'à la moelle, l'aspirer comme une âme sœur qu'elle est devenue. Noire et sale. Il ne sera pas resté ici-bas pour rien !

L'urne de la vieille a été déposée en évidence, devant l'entrée principale du funérarium. Cinq livres à peine de cendres grises, moins quelques grammes. Le poids de l'âme. Car la vieille n'y est plus, enfermée dans son urne, pour chanter la pomme à son homme, pour l'enchanter. Peut-être l'a-t-elle finalement ravi, emmené avec elle au septième ciel, comme elle le lui avait promis ? Elle se précipite vers la ruelle en cul-de-sac, en espérant y retrouver le clochard.

Mais il n'y est pas. Et le conteneur vide gît au bord de la rue, à demi fondu, tordu, noir de suie, en attendant d'être ramassé par les éboueurs. Aucune trace de lui autour. Elle se précipite chez le proprio du deuxième, grimpe les marches de l'escalier deux par deux, cogne à sa porte. L'homme ouvre en bougonnant, frustré d'être réveillé si tôt, un samedi en plus. En l'apercevant, il laisse échapper un juron et tente de la claquer sur elle. Mais elle est plus rapide, se faufile dans l'entrebâillement, s'abat sur lui, le frappe à coups de poings, l'engueule, l'accuse d'y avoir mis le feu. L'homme la repousse, l'attrape par les poignets, l'immobilise, crie à son tour, clame son innocence et l'accuse, elle! Mais de quoi donc? bégaye-t-elle.

— Fais pas l'innocente, c'est toi qui l'as mis dans cet état!

Car l'autre soir, après qu'elle fut partie, lui y était, debout sur son balcon, pour entendre le clochard sangloter comme un enfant dans son conteneur, se lamenter à voix haute, répéter dix fois la même question « c'est vrai ce qu'a dit l'embaumeuse, tu veux partir ? » Il y était aussi pour le voir sortir de son conteneur, une loque grise et défaite, s'en éloigner de quelques pas, et foncer la tête la première contre la paroi métallique, pauvre bélier sans cornes, et s'écrouler, sonné, et se tordre, se révulser, baguettes en l'air, bave au menton, sans pour autant lâcher l'urne contenant les cendres de sa vieille qu'il pressait contre sa poitrine haletante. Il y était pour le voir ramper jusqu'au portrait plus vrai que nature de la vieille, s'y accrocher, embrasser ses lèvres dures et glacées, enjamber le rebord du conteneur et s'y laisser choir comme un sac vert à l'intérieur.

— Aaaa... près? demande-t-elle.

— Après? J'ai été réveillé comme les autres par les pompiers qui sont débarqués en pleine nuit pour éteindre le feu qui menaçait de se propager aux maisons.

— Et... et llle clo... chard? s'inquiète-t-elle.

— Il y serait encore à roupiller dans son conteneur, si t'étais pas débarquée avec tes gros sabots dans notre cour, si tu t'étais pas mise à tout repeindre, si t'avais pas braqué les phares de ton maudit corbillard sur sa misère humaine, si t'avais pas fait le party à toutes heures du jour et de la nuit, si t'avais pas tourné autour comme une traînée ! C'est quoi ton trip ? Fous le camp ! Va te faire soigner ! Va foutre le bordel ailleurs ! Décampe ! hurle-t-il en la jetant dehors.

— Yyy est vvvi… vant, au… au moins ? crie-t-elle pour rien, car l'homme a refermé et verrouillé la porte, de peur qu'elle revienne à la charge.

Elle le cherche partout, fouille les fonds de cour, scrute les ruelles, fait le pied de grue sur le coin de rue où d'habitude il quête. Nulle trace de lui à la ronde. Elle interroge le propriétaire d'un dépanneur qui offrait à l'occasion au clochard un café chaud gratis, questionne un intervenant de rue, harcèle d'autres itinérants, le cherche dans les refuges et les soupes populaires. Personne ne l'a vu. Elle va à la bibliothèque, même à l'église, voir s'il s'y est réfugié, le temps de se réchauffer et de se reposer la plante des pieds. Il n'y est pas non plus. Elle parcourt les Plaines de long en large, regarde sous chaque buisson, fouille même dans les poubelles. Rien. À croire qu'il n'a jamais existé.

Elle se précipite chez le dépanneur, s'empare du premier journal de la pile, épluche les faits divers. Que des histoires de vols à l'étalage, de contrebande de cigarettes, de rage au volant, de chiens écrasés, de saisie de cannabis, de violence conjugale, d'incendies criminels, même un pillage de cimetière ! Aucune mention d'un clochard mort calciné dans un vieux conteneur abandonné dans un fond de cour. Ni dans celui-ci, ni dans celui publié la veille. Pas un seul mot sur la disparition d'un sans-abri sans le sou sans rien du tout. Peut-être ne vaut-il pas un fait divers.

Qu'a-t-elle fait encore !

Ce soir-là, lorsque le cinéaste se pointe au bar, pose la main sur son épaule, s'informe du clochard qu'il cherche lui aussi, elle ne le repousse pas. Elle s'écroule.

15

L'homme-loup

Quelle importance que ce clochard, plutôt qu'un autre, soit ou non mon géniteur? de toute façon, ça prendrait un test d'ADN pour le prouver ou l'infirmer, le risque élevé de repartir sans fin à la recherche d'un autre mâle reproducteur qui ne m'avait somme toute transmis qu'une part de ses gènes sans même savoir laquelle, alors qu'un père, j'en avais eu un qui m'avait aimé davantage que la prunelle de ses yeux et comblé de l'essentiel jusqu'à en déborder et en rendre plusieurs malades de jalousie, de me voir la face de lune resplendissante, à commencer par le tartarin qui l'avait eu longtemps sur le cœur et en avait perdu la tête, et en attirer d'autres aussi, comme l'embaumeuse, qui a profité de ma lumière avant de s'en détourner, de s'en écarter, de s'en protéger, car je l'éclairais alors qu'elle avait l'habitude de la noirceur et refusait de voir qu'elle avait aussi un côté lumineux! comment pourrait-elle autrement s'occuper des corps qui aboutissaient entre ses mains d'embaumeuse? et aider les âmes tourmentées à s'élever en paix? aurais-je voulu lui demander, ce soir-là, au pied du lampadaire, et pourquoi m'avoir soulagé du poids de ma culpabilité et l'avoir pris comme un fardeau de plus sur ses épaules qui en portaient déjà trop lourd? peut-être un autre parviendrait-il un jour à l'alléger, à percer sa carapace et à faire surgir sa face cachée et lumineuse, quant à moi, il ne me restait plus qu'à conclure et à mettre un point final à mon histoire avec le clochard avant de retourner dans ma forêt boréale y retrouver ma belle Amérindienne.

Ça faisait plus d'une heure que j'y étais, assis dans un coin, à attendre qu'il conclue cette discussion animée avec la vieille qui s'éternisait et tournait au vinaigre, si je me fiais à ce que j'en entendais, car le ton au début triste et suppliant devenait aigre et rancunier, les suppliques et les sanglots viraient en reproches, même en accusations, et la belle Sulamite, sa fiancée chérie, son lys gracieux, n'était plus qu'une vieille intransigeante, une tête dure de pioche, une égoïste femelle qui avait intérêt à revenir au plus sacrant dans son urne si elle ne voulait pas qu'il lui répande les cendres grises et volatiles comme un mauvais engrais à tort et à travers, qu'il l'éparpille aux quatre vents sans se soucier qu'elle soit soufflée au nord ou au sud, déjà il soulevait le couvercle de son conteneur, en surgissait hirsute comme d'une boîte à surprise, tenait son urne à bout de bras et l'agitait, la mettait sens dessus dessous pour prouver qu'il était sérieux et l'obliger à sortir de son mutisme, mais il avait beau la secouer, l'insulter, la menacer, la vieille s'obstinait et refusait de revenir lui chanter la pomme et lui combler le vide intérieur.

— Tu l'auras voulu… vieille… euh… salope! a-t-il gueulé en bondissant à l'extérieur de son conteneur, décidé cette fois à lui abîmer le portrait.

Il a déposé l'urne sur le muret tout près, pour qu'elle puisse assister au spectacle qu'il s'apprêtait à lui faire et en souffrir, a plongé à deux mains dans la terre boueuse, en a ramassé deux grosses poignées qu'il a étendues sur le visage de la vieille peint sur la devanture par l'embaumeuse, et comme si ce n'était pas suffisant de la souiller, il a ramassé cette fois une poignée de cailloux et les a balancés direct dans la fenêtre en trompe-l'œil qui s'est bosselée sans se fracasser, alors il s'est précipité pour la marteler à coups de poings jusqu'à en avoir les jointures en sang sans parvenir à lui effacer de la face ce sourire espiègle qui hier encore le séduisait mais là l'enrageait au point d'en perdre les pédales et de foncer tête baissée comme un bélier sans cornes pour lui défoncer le décor, avant de s'affaisser, sonné, en larmes, sous le portrait amoché de la vieille ingénue qui l'observait de haut, les yeux encore pétillants et le sourire aux lèvres, pendant qu'il se fracassait l'arrière du crâne contre la paroi métallique qui résonnait, *bong! bong!* en la suppliant de revenir pour habiter son espace intérieur autrement vacant, pour remplir son trou autrement béant, pour le sortir de son néant intemporel dont il ne souffrait pas, avant qu'elle le lie à son histoire.

— « Reviens, reviens, Sulamite ! Reviens, reviens, que nous te contemplions !… Où est celle qui toise comme l'aurore, belle comme la lune, brillante comme le soleil ? »

Demandait-il, la voix hachurée de sanglots, sans cesser de se frapper la tête contre le conteneur qui répondait, *bong! bong!* à la place de la vieille qui n'y était plus, logée dans son cerveau, à lui susurrer ses mots d'amour, ni l'embaumeuse cachée derrière les poubelles pour déclamer par urne interposée, alors il dégénérait et recommençait à insulter *l'égoïste femelle*, à engueuler *la salope*…

Je me suis bouché les oreilles pour ne plus l'entendre, comme je l'avais fait, des années auparavant, pour ne plus entendre mon amoureux fou de père qui n'avait pas supporté d'avoir été jeté, balancé par-dessus bord, par celle qui l'avait harponné et qu'il avait dans la peau, son hameçon crocheté dans le cœur impossible à retirer sans déchirure mortelle, et si la blessure lui avait été fatale, elle pourrait bien l'être aussi pour le clochard que je surveillais du coin de l'œil, car après s'être défoncé le crâne, voilà qu'il se relevait, le rictus amer, titubait jusqu'au bac bleu de recyclage plein à ras bord, en ressortait des piles de vieux journaux et des morceaux de carton qu'il jetait pêle-mêle dans son conteneur, se dirigeait vers le bac vert à déchets, y fouillait à deux mains, faisait le tri, dénichait des détritus inflammables même explosifs, les enfouissait dans les larges poches de sa redingote, et lorsqu'il a jugé que sa collection était suffisante, il est retourné dans son conteneur, s'est planté debout en plein milieu, a sorti de sa poche une bouteille d'alcool bon marché, s'en est aspergé de la tête aux pieds en jetant un coup d'œil de biais du côté de l'urne.

— Quelque chose à dire… euh ? a-t-il demandé, avant de craquer une allumette.

Cette fois, j'ai bondi de ma cachette et me suis précipité sur lui qui s'en est étonné mais s'est aussi réjoui de ma présence.

— Ah ! te voilà, fiston ! a-t-il dit en me tendant la pochette d'allumettes.

Il voulait que j'en craque une à sa place, car la sienne s'était éteinte, expliquait-il.

— La main qui tremblote… euh… le vent peut-être ?… bof ! quelle importance ?… si fiston y est pour mettre, euh… le feu aux poudres !… héhé ! a-t-il bafouillé.

Sans rien dire ni prendre le paquet d'allumettes, j'ai reculé et baissé la tête comme un lâche, de peur de croiser son regard, d'y rester rivé et de succomber à la supplique de ses iris jaunes.

— Bah! quel enfant le ferait? pas vrai, fiston! a-t-il conclu en souriant et en haussant les épaules, tout en frottant une seconde allumette qu'il s'est empressé de jeter sur le tas de papier qui aussitôt s'est embrasé.

Il m'a fallu lui balancer mon poing dans l'estomac et lui couper le souffle pour l'empêcher de rabattre le lourd couvercle de son conteneur et d'y flamber en paix, même l'assommer d'un direct à la tête pour lui faire lâcher prise et parvenir à le sortir, car il se débattait comme un diable et s'accrochait aux parois, et ensuite le rouler dans la boue et l'herbe humide pour éteindre les flammes qui léchaient les pans de sa vieille redingote, et le tirer jusque sous le cabanon pour l'y mettre à l'abri, et récupérer l'urne en catimini et me dépêcher d'effacer les traces de nos pas et aussi celles laissées par son long corps traîné sur le sol glaiseux, et m'y réfugier avec lui comme un coupable avant l'arrivée de la police et des pompiers qui ne tarderaient pas, car ça flambait déjà et le feu menaçait de s'étendre aux structures de bois des vieilles maisons du coin! la peur d'être accusés, lui de pyromanie, moi de tentative de meurtre, et de nous retrouver tous deux derrière les barreaux, lui en psychiatrie et moi en prison, ou l'inverse.

Les sapeurs et les agents étaient repartis depuis longtemps et la carcasse de métal fondu et tordu gisait déjà au bord du chemin, lorsqu'il a finalement repris conscience, ouvert grand les yeux et tourné vers moi son regard vide, éteint, d'homme mort qui fixe droit devant sans rien regarder, car plus rien ne l'intéressait, pas même l'urne de la vieille qu'hier encore il exposait et encensait, sa douce colombe, sa plus que parfaite qui subitement le laissait indifférent, n'allumait plus rien chez lui qui paraissait en avoir oublié jusqu'à l'existence, tant il l'ignorait! sans compter qu'il semblait avoir perdu la capacité de s'exprimer, peut-être aussi le goût de parler, comment savoir ? car lorsqu'il ouvrait la bouche, il n'en sortait que des gémissements et des grognements d'animal qui souffre l'agonie, alors que ses brûlures et ses blessures n'étaient que superficielles, mais son âme, elle, était mortellement atteinte.

Que faire de lui ? de son long corps amoché ? car si je l'abandonnais, il se laisserait sûrement mourir ici, dans sa cachette sous le cabanon, et si je l'emmenais à l'hôpital ou dans une institution quelconque, il souffrirait l'enfer et en crèverait aussi d'être traité aux petits oignons mais privé de sa liberté d'errer ! alors qu'en faire ? sinon le ramener avec moi, dans ma forêt boréale où il pourrait errer à sa guise et facilement se nourrir, plutôt que de crever de faim sur un coin de rue, de flamber dans un conteneur, ou d'être pris en charge par l'État responsable de la protection du public qui, lui, tolérait mal la présence d'animaux sauvages de son genre inadapté, épris de liberté, impossibles à domestiquer, seulement à apprivoiser.

Ma belle Amérindienne est arrivée en catastrophe, comme à son habitude, informée de mon retour par la rumeur qui voyageait vite dans notre patelin tissé serré pour réduire la distance, alors qu'en ville les gens vivaient peut-être collés les uns sur les autres mais leurs liens étaient lâches et il y en avait de plus en plus à tomber entre les mailles du filet social et à se retrouver seuls dans la rue, lui expliquais-je pendant qu'elle détaillait l'homme, nu, sale, hirsute, recroquevillé sous la peau du vieux loup gris et couché à mes pieds.

— C'est ton père ? a-t-elle demandé.

— Non, un clochard.

— Pourquoi tu l'as ramené ici, d'abord ?

— C'est lui qui s'est accroché à moi ! Je ne pouvais toujours pas le rejeter à la rue !

— Il y était avant de te rencontrer, a-t-elle fait remarquer, le ton neutre, comme une évidence.

— C'est pas une raison pour le laisser crever ! ai-je rétorqué, étonné de sa froideur, de son apparente indifférence.

— Il ne veut pas être ici, a-t-elle dit en choisissant bien ses mots.

— Je ne l'ai pas attaché ! Il peut partir quand il veut ! Mais pour aller où, tu peux le dire ?

— Cet homme-là veut mourir.

— Qu'est-ce que t'en sais ? ai-je demandé, irrité, la preuve qu'elle avait touché une corde sensible.

— Regarde-le.

— Ça fait trois jours que je fais juste ça, le regarder !

— Non, tu regardes à côté. Regarde-le dans les yeux.

— Je ne peux pas.

— Tu ne veux pas.

— Si je le fais, si je le fixe…

— Il n'existe pas, il survit. Regarde-le marcher à quatre pattes, venir se coucher à tes pieds comme un chien. C'est ça que tu veux ? Un animal de compagnie ?

— Il ne peut pas me demander *ça* une autre fois ! ai-je protesté, pour aussitôt me surprendre de mes propos.

— Laisse-le partir, a-t-elle murmuré en s'éloignant vers la porte, déjà prête à partir.

— Non.

— Je reviendrai dans quelques jours, m'a-t-elle informé, avant de sortir.

Le clochard accroupi à mes pieds a levé la tête, tendu le cou et émis un long hurlement, comme le faisait avant mon loup de père, mais son chant sonnait faux, car le cœur n'y était pas, il avait seulement deviné d'instinct que j'avais besoin qu'il le fasse.

Elle avait raison, j'avais décidé de son sort, fait de lui mon père, sans me soucier qu'il le soit réellement ou non, j'avais décidé de le garder vivant et auprès de moi, de gré ou de force, quitte à le gaver s'il refusait de manger, à le faire boire au biberon s'il n'en avait plus la force, à l'attacher avec une laisse s'il tentait de fuir, plutôt que de risquer de le perdre une autre fois.

Lorsqu'elle est revenue, il gisait et haletait, déshydraté, car il recrachait tout ce que je lui donnais, à bout de forces et sans envie de vivre, mais incapable de rendre l'âme.

— Laisse-le partir en paix… c'est toi qui le retiens.

— Je ne peux pas, tu ne comprends pas ? je ne peux pas ! ai-je crié en me précipitant sur le clochard qui se faisait loup pour me plaire.

Elle s'est accroupie, a soulevé la tête hirsute, l'a déposée sur mes genoux, puis elle s'est assise par terre à son tour et a entonné, de sa voix grave et profonde, un vieux refrain chanté jadis par les pleureuses qui se rassemblaient autour des défunts pour appeler le loup qui connaissait l'ordre des forêts et guidait les âmes tout au long de leur périple, sur les chemins semés d'embûches de l'au-delà :

— Il te conduira/par le chemin droit/vers un fils de roi/vers le paradis.

Pendant qu'elle l'enchantait, je caressais ses cheveux hirsutes et pleurais sur lui comme sur un père qu'il n'était peut-être pas mais aurait pu être.

Il est mort ainsi, dans mes bras.

L'oratorio

Pose-moi comme un sceau sur ton cœur,
Comme un sceau sur ton bras.
Comme l'Amour est fort,
L'Amour est fort, comme la Mort.

chantait-elle en chœur avec Karen Young, de sa voix grave et chaude capable de faire fondre des banquises alors qu'elle se prétendait de glace! tout en dénudant, à gestes lents et pudiques, le long corps de l'homme amaigri et prématurément vieilli, en le lavant à l'eau tiède et parfumée de la tête aux pieds, en répandant ses larmes de femme tel un baume bienfaisant sur ses plaies qu'elle découvrait à vif, en pétrissant en profondeur les muscles durs de ses fortes cuisses et de ses bras encore vigoureux pour les détendre, en massant la paume calleuse de ses larges mains, la plante cornée de ses pieds pour en assouplir la chair, en caressant la peau tannée de son visage anguleux pour l'attendrir, pour l'apaiser, tout en balayant de ses longs cheveux de femme sa poitrine velue et grisonnante pour qu'il en jouisse une dernière fois comme un homme

Les eaux ne pourront éteindre l'Amour
Ni les fleuves le submerger.

Comme l'Amour est fort
L'Amour est fort comme la Mort…

chantait-elle encore, assise à la tête de l'homme, en le caressant du regard pour lui donner le goût d'absorber ses fluides, en massant du bout des doigts ses tempes creuses et bleutées, son cou fort de bœuf, sa nuque raide et tendue pour qu'il s'en imprègne, s'imbibe comme un arbre de sa sève jusqu'à l'ivresse, jusqu'à plus soif, en soufflant un vent doux et tiède sur ses paupières closes pour réveiller chez lui l'envie de s'envoler, en effleurant du bout du doigt ses lèvres étroites et sèches pour le griser, pour le soûler d'amour, en rasant de près sa barbe forte et drue sur ses joues creuses, sous son nez proéminent, sous son menton et tout le long de son cou jusqu'au poitrail sans l'écorcher ni l'irriter, en frictionnant et en massant le cuir chevelu sale et croûté jusqu'à en voir la peau tendre et rosée, en taillant et en coiffant les cheveux gris ternes et bouclés qui ne l'avaient pas été depuis des mois, en lui enfilant des dessous propres, une chemise blanche immaculée, un habit noir cintré juste ce qu'il faut, même une cravate conventionnelle pour compléter son déguisement d'homme neuf et séduisant, à la fois prince et truand, pour plaire à sa belle Sulamite, sa princesse, sa courtisane

N'éveillez, ne réveillez pas l'Amour
Jusqu'à ce qu'il le désire…

chantait-elle en le parfumant pour qu'il embaume et dégage des odeurs invitantes de rose sans épines, en lui modelant un sourire vrai d'homme serein, heureux d'avoir vécu mais aussi d'en avoir fini, en appliquant sur son visage une couche fine de fard pour l'éclaircir plutôt que d'exposer sa grisaille et susciter de l'apitoiement sur son triste sort qui ne l'était plus, maintenant qu'il flottait, libre et léger, en apesanteur au-dessus de son corps d'homme qui, lui, reposait enfin en paix sur sa couche de paille écologique, avec l'urne de sa vieille cendrée déposée sur sa poitrine d'homme qui en soupirait d'aise d'être enfermé avec sa belle, les fils de leurs histoires entremêlés, leur toile tissée serré et leurs poussières à tout jamais confondues, indissociables comme un Tristan et son Iseult, le clochard en avait besoin pour couper le cordon de son âme et se dissocier de son corps mort, pour rejoindre celle de la belle qui virevoltait, légère, au-dessus de lui, qui exécutait sa danse de plume duveteuse pour l'enchanter

et je l'ai vu s'élever, rejoindre la vieille qui l'appelait ! mais qui le croira ? sans preuve tangible pour le prouver, car ma caméra n'a rien capté, rien enregistré, n'empêche que je l'ai vu, de mes yeux, vu !

N'éveillez, ne réveillez pas l'Amour
Jusqu'à ce qu'il le désire…

a-t-elle encore et encore fredonné, *a cappella* cette fois, pendant que le cercueil descendait sous terre, pour consoler le fils du loup agenouillé au bord de la fosse pour le pleurer et faire enfin son deuil

Sous le pommier il l'a réveillée,
Là, où notre Procréatrice a conçu et enfanté

ai-je chantonné à mon tour pour l'étonner, pour la convaincre que nous avions au moins l'Oratorio en commun, pour faire vibrer le fil ténu de son âme d'embaumeuse, pour lui donner l'idée de l'entrelacer au mien, car je ne perdais pas espoir de la conquérir un jour, non plus d'écrire avec elle le scénario de notre film, déjà qu'elle m'avait ouvert la porte de son laboratoire…

Table des matières

Dans la même collection

Alarie, Donald, *David et les autres.*
Alarie, Donald, *J'attends ton appel.*
Alarie, Donald, *Thomas est de retour.*
Alarie, Donald, *Tu crois que ça va durer?*
Andrewes, Émilie, *Les cages humaines.*
Andrewes, Émilie, *Eldon d'or.*
Andrewes, Émilie, *Les mouches pauvres d'Ésope.*
April, J. P., *La danse de la fille sans jambes.*
April, J. P., *Les ensauvagés.*
April, J. P., *Histoires humanimales.*
April, J. P., *Mon père a tué la Terre.*
Aude, *Chrysalide.*
Aude, *L'homme au complet.*
Audet, Noël, *Les bonheurs d'un héros incertain.*
Audet, Noël, *Le roi des planeurs.*
Auger, Marie, *L'excision.*
Auger, Marie, *J'ai froid aux yeux.*
Auger, Marie, *Tombeau.*
Auger, Marie, *Le ventre en tête.*
Belkhodja, Katia, *La peau des doigts.*
Blouin, Lise, *Dissonances.*
Bouyoucas, Pan, *Cocorico.*
Brochu, André, *Les Épervières.*
Brochu, André, *Le maître rêveur.*
Brochu, André, *La vie aux trousses.*
Bruneau, Serge, *Bienvenue Welcome.*
Bruneau, Serge, *L'enterrement de Lénine.*
Bruneau, Serge, *Hot Blues.*
Bruneau, Serge, *Quelques braises et du vent.*
Bruneau, Serge, *Rosa-Lux et la baie des Anges.*
Carrier, Roch, *Les moines dans la tour.*
Castillo Durante, Daniel, *Ce feu si lent de l'exil.*
Castillo Durante, Daniel, *La passion des nomades.*
Castillo Durante, Daniel, *Un café dans le Sud.*
Chatillon, Pierre, *Île était une fois.*
de Chevigny, Pierre, *S comme Sophie.*
Cliche, Anne Élaine, *Mon frère Ésaü.*
Cliche, Anne Élaine, *Rien et autres souvenirs.*
Corriveau, Hugues, *La gardienne des tableaux.*
Croft, Esther, *De belles paroles.*
Croft, Esther, *Le reste du temps.*
Désy, Jean, *Le coureur de froid.*
Désy, Jean, *L'île de Tayara.*
Désy, Jean, *Nepalium tremens.*
Dubé, Danielle, *Le carnet de Léo.*
Dubé, Danielle et Yvon Paré, *Le bonheur est dans le Fjord.*
Dubé, Danielle et Yvon Paré, *Un été en Provence.*
Dupré, Louise, *L'été funambule.*
Dupré, Louise, *La Voie lactée.*
Forget, Marc, *Versicolor.*
Gariépy, Pierre, *L'âge de Pierre.*
Gariépy, Pierre, *Blanca en sainte.*
Gariépy, Pierre, *Lomer Odyssée.*
Genest, Guy, *Bordel-Station.*
Gervais, Bertrand, *Comme dans un film des frères Coen.*
Gervais, Bertrand, *Gazole.*
Gervais, Bertrand, *L'île des Pas perdus.*
Gervais, Bertrand, *Le maître du Château rouge.*
Gervais, Bertrand, *La mort de J. R. Berger.*
Gervais, Bertrand, *Tessons.*
Guilbault, Anne, *Joies.*
Guy, Hélène, *Amours au noir.*
Laberge, Andrée, *Le fin fond de l'histoire.*
Laberge, Andrée, *La rivière du loup.*
La France, Micheline, *Le don d'Auguste.*
Lanouette, Jocelyn, *Les doigts croisés.*
Lavoie, Marie-Renée, *La petite et le vieux.*
Leblanc, Carl, *Artéfact.*
Léger, Hugo, *Tous les corps naissent étrangers.*
Marceau, Claude, *Le viol de Marie-France O'Connor.*
Marcotte, Véronique, *Les revolvers sont des choses qui arrivent.*
Martin, Patrice, *Le chapeau de Kafka.*
Mihali, Felicia, *Luc, le Chinois et moi.*
Mihali, Felicia, *Le pays du fromage.*
Millet, Pascal, *Animal.*
Millet, Pascal, *L'Iroquois.*
Millet, Pascal, *Québec aller simple.*
Moussette, Marcel, *L'hiver du Chinois.*
Ness, Clara, *Ainsi font-elles toutes.*
Ness, Clara, *Genèse de l'oubli.*
Ouellette-Michalska, Madeleine, *L'apprentissage.*
Ouellette-Michalska, Madeleine, *La Parlante d'outre-mer.*
Paré, Yvon, *Les plus belles années.*
Péloquin, Michèle, *Les yeux des autres.*
Perron, Jean, *Les fiancés du 29 février.*
Perron, Jean, *Visions de Macao.*
Pigeon, Daniel, *Ceux qui partent.*
Pigeon, Daniel, *Chutes libres.*
Pigeon, Daniel, *Dépossession.*
Rioux, Hélène, *Âmes en peine au paradis perdu.*
Rioux, Hélène, *Le cimetière des éléphants.*
Rioux, Hélène, *Mercredi soir au Bout du monde.*
Rioux, Hélène, *Nuits blanches et jours de gloire.*
Roger, Jean-Paul, *Un sourd fracas qui fuit à petits pas.*
Rondeau, Martyne, *Game over.*
Rondeau, Martyne, *Ravaler.*
Saucier, Jocelyne, *Il pleuvait des oiseaux.*
Saucier, Jocelyne, *Jeanne sur les routes.*
Saucier, Jocelyne, *La vie comme une image.*
Tapiero, Olivia, *Espaces.*
Thériault, Denis, *La fille qui n'existait pas.*
Tourangeau, Pierre, *La dot de la Mère Missel.*
Tourangeau, Pierre, *La moitié d'étoile.*
Tourangeau, Pierre, *Le retour d'Ariane.*
Trussart, Danielle, *Le Grand Jamais.*
Vanasse, André, *Avenue De Lorimier.*

Suivez-nous :

Achevé d'imprimer en septembre deux mille douze
sur les presses de l'imprimerie Gauvin,
Gatineau, Québec